suhrkamp taschenbuch 300

Ulrich Plenzdorf wurde 1934 in Berlin geboren. In Leipzig studierte er Philosophie, später absolvierte er die Filmhochschule. Seit 1963 arbeitet er als Szenarist im DEFA-STUDIO. Das letzte der von ihm produzierten Szenarien ist *Die Legende von Paul & Paula* (st 173). 1973 erschien *Die neuen Leiden des jungen W.*; das gleichnamige Theaterstück wird auf den Bühnen der DDR und der BRD aufgeführt. Die Film-Texte *Karla* und *Der alte Mann, das Pferd, die Straße*, 1964 und 1974 geschrieben, liegen als *suhrkamp taschenbuch* 610 vor. *Gutenachtgeschichte* erschien 1983. 1973 wurde Plenzdorf mit dem Heinrich-Mann-Preis der Akademie der Künste der DDR ausgezeichnet, 1978 mit dem österreichischen Ingeborg-Bachmann-Preis.

»Die ›neuen‹ Leiden des jungen W. sind die alten: Liebe, die als Eifersucht schmerzt, gestörtes Verhältnis zur Mitwelt, das als verletzter Ehrgeiz quält. Auch Werther 1972 liebt eine verlobte, später verheiratete Frau namens Charlotte, die er nicht wie sein Vorgänger Lotte, sondern ›Charlie‹ nennt. Die erstaunliche Meisterschaft des Autors, dessen Begabung für die Darstellung gebrochener jugendlicher Helden sich ausspricht, zeigt sich in der Leichtigkeit, mit der er die beiden Komplexe Liebe–Politik, Einzelner–Gesellschaft miteinander vernäht.« Rolf Michaelis, *Frankfurter Allgemeine Zeitung*

Ulrich Plenzdorf
Die neuen Leiden
des jungen W.

Suhrkamp

suhrkamp taschenbuch 300
Erste Auflage 1976
Copyright © 1973 VEB Hinstorff Verlag
DDR-25 Rostock
Lizenzausgabe für die Bundesrepublik, West-Berlin,
Österreich und die Schweiz
mit freundlicher Genehmigung
des VEB Hinstorff Verlags DDR-25 Rostock
Suhrkamp Taschenbuch Verlag
Alle Rechte vorbehalten, insbesondere das des
öffentlichen Vortrags, der Übertragung durch
Rundfunk und Fernsehen sowie der
Übersetzung, auch einzelner Teile.
Druck: Ebner Ulm · Printed in Germany
Umschlag nach Entwürfen von
Willy Fleckhaus und Rolf Staudt

25 26 27 28 29 30 — 90 89 88 87 86 85

Die neuen Leiden des jungen W.

Edgar: S 10, 15, 12, 16
47, 44, 86, 66, 45
25, 22, 29, 22
96, 87, 96, 118, 119, 147, 136

V + H   Konflikt   9 - 16
W. + V   Ausbruch Berlin Ost   16 - 43
V + Ch.   Rolle im Leben Edg.   43 - 86
V + Pd.   Versuch d. Integration   86 ff

Notiz in der »Berliner Zeitung«
vom 26. Dezember:

Am Abend des 24. Dezember wurde der Jugendliche Edgar W. in einer Wohnlaube der Kolonie Paradies II im Stadtbezirk Lichtenberg schwer verletzt aufgefunden. Wie die Ermittlungen der Volkspolizei ergaben, war Edgar W., der sich seit längerer Zeit unangemeldet in der auf Abriß stehenden Laube aufhielt, bei Basteleien unsachgemäß mit elektrischem Strom umgegangen.

Anzeige in der »Berliner Zeitung«
vom 30. Dezember:

Ein Unfall beendet am 24. Dezember das Leben unseres jungen Kollegen

Edgar Wibeau 17

Er hatte noch viel vor!

VEB WIK Berlin

AGL   Leiter   FDJ

Anzeigen in der »Volkswacht« Frankfurt/O.
vom 31. Dezember:

Völlig unerwartet riß ein tragischer Unfall
unseren unvergessenen Jugendfreund

Edgar Wibeau

aus dem Leben.

VEB (K) Hydraulik Mittenberg

Berufsschule   Leiter   FDJ

Für mich noch unfaßbar erlag am 24. Dezember mein lieber Sohn

Edgar Wibeau

den Folgen eines tragischen Unfalls.

Else Wibeau

Zitate :   51, 55.-57   Gruppe 1
           75, 76, 82, 100   " 2
           116, 124, 129   3

Dietos Zillo : 78 - 83
                73 - 77
                65 - 72

»Wann hast du ihn zuletzt gesehen?«

»Im September. Ende September. Am Abend bevor er wegging.«

»Hast du nie an eine Fahndung gedacht?«

»Wenn mir einer Vorwürfe machen kann, dann nicht du! Nicht ein Mann, der sich jahrelang um seinen Sohn nur per Postkarte gekümmert hat!«

»Entschuldige! – War es nicht dein Wunsch so, bei meinem Lebenswandel?!«

»Das ist wieder deine alte Ironie! – Nicht zur Polizei zu gehen war vielleicht das einzig Richtige, was ich gemacht hab. Selbst das war schließlich falsch. Aber zuerst war ich einfach fertig mit ihm. Er hatte mich in eine unmögliche Situation gebracht an der Berufsschule und im Werk. Der Sohn der Leiterin, bis dato der beste Lehrling, Durchschnitt eins Komma eins, entpuppt sich als Rowdy! Schmeißt die Lehre! Rennt von zu Hause weg! Ich meine . . .! Und dann kamen ziemlich schnell und regelmäßig Nachrichten von ihm. Nicht an mich. Bewahre. An seinen Kumpel Willi. Auf Tonband. Merkwürdige Texte. So geschwollen. Schließlich ließ sie mich dieser Willi anhören, die Sache wurde ihm selber unheimlich. Wo Edgar war, nämlich in Berlin, wollte er mir zunächst nicht sagen. Aus den Tonbändern wurde jedenfalls kein Mensch schlau. Immerhin ging so viel daraus hervor, daß Edgar gesund war, sogar arbeitete, also nicht gammelte. Später kam ein Mädchen vor, mit der es dann aber auseinanderging. Sie heiratete! Solange ich ihn *hier* hatte, hat er nichts mit Mädchen gehabt. Aber es war doch kein Fall für die Polizei!«

Stop mal, stop! – Das ist natürlich Humbug. Ich hatte ganz schön was mit Mädchen. Zum erstenmal mit vierzehn. Jetzt kann ich's ja sagen. Man hatte so allerhand Zeug gehört, aber nichts Bestimmtes. Da wollte ich's endlich genau wissen, das war so meine Art. Sie hieß Sylvia. Sie war ungefähr drei Jahre älter als ich. Ich brauchte knapp sechzig Minuten, um sie rumzukriegen. Ich finde, das war eine gute Zeit für mein Alter, und wenn man bedenkt, daß ich noch nicht meinen vollen Charme hatte und nicht dieses ausgeprägte Kinn. Ich sag das nicht, um anzugeben, sondern daß sich keiner ein falsches Bild macht, Leute. Ein Jahr später klärte mich Mutter auf. Sie rackerte sich ganz schön ab. Ich Idiot hätte mich beölen können, aber ich machte Pfötchen wie immer. Ich glaube, das war eine Sauerei.

»Wieso entpuppte er sich als Rowdy?!« —

»Er hat seinem Ausbilder den Zeh gebrochen.« – »Den Zeh?«

»Er hat ihm eine schwere Eisenplatte auf den Fuß geworfen, eine Grundplatte. Ich war wie vor den Kopf geschlagen. Ich meine . . .!«

»Einfach so?«

»Ich war nicht dabei, aber der Kollege Flemming sagte mir – das ist der Ausbilder, ein erfahrener und alter Ausbilder, zuverlässig –, daß es *so* war: Er verteilt morgens in der Werkstatt die Werkstücke, ebendiese Grundplatten zum Feilen. Und die Burschen feilen auch, und beim Nachmessen fällt ihm auf, Edgars Nachbar, Willi, hat da eine Platte fertig, aber die hat er nicht gefeilt, die war aus dem Automaten. In der Produktion werden die Grundplatten natürlich automatisch gefertigt. Der Junge hat sie sich besorgt und zeigt sie jetzt vor. Sie ist natürlich genau bis auf ein Hundertstel. Er sagt ihm das: Die ist aus dem Automaten.

Willi: Aus was für einem Automaten?

Flemming: Aus dem Automaten in Halle zwei.

Willi: Ach, da steht ein Automat?! – Das kann ich doch gar nicht wissen, Meister. In der Halle waren wir zum letzten Mal, als wir anfingen mit der Lehre, und da hielten wir die Dinger noch für Eierlegemaschinen. Und das war dann Edgars Stichwort, das war natürlich alles vorher abgemacht: Also nehmen wir mal an, da steht ein Automat. Kann ja sein. Da fragt man sich doch, warum wir dann die Grundplatten mit der Feile zurechtschruppen müssen. Und das im dritten Lehrjahr.«

verteidigung

Gesagt hab ich das. Das stimmt. Aber aus dem Hut. Abgemacht war überhaupt nichts. Ich wußte, was Willi und die anderen vorhatten, wollte mich aber raushalten, wie immer.

»Flemming: Was hab ich euch gesagt, als ihr bei mir angefangen habt? – Ich hab euch gesagt: Hier habt ihr ein Stück Eisen! Wenn ihr aus dem eine Uhr machen könnt, habt ihr ausgelernt. Nicht früher und nicht später. Das ist so sein Wahlspruch.

Und Edgar: Aber Uhrmacher wollten wir eigentlich schon damals nicht werden.«

Das wollte ich Flemming schon lange mal sagen. Das war nämlich nicht nur sein blöder Wahlspruch, das war seine ganze Einstellung aus dem Mittelalter: Manufakturperiode. Bis da hatt ich's mir immer verkniffen. *Meinung über Flemming*

»Und anschließend warf ihm Edgar dann diese Grundplatte auf den Fuß und mit dermaßen Kraft, daß ein Zeh brach. Ich war wie vom Donner gerührt. Ich wollte das erst nicht glauben.«

Stimmt alles. Bis auf zwei Kleinigkeiten. Erstens hab ich die Platte nicht *geworfen*. Das brauchte ich nicht. Diese Platten waren auch so schwer genug, einen ollen Zeh oder was zu brechen, einfach durch ihre Masse. Ich brauchte sie bloß fallen zu lassen. Was ich denn auch machte. Und zweitens ließ ich sie nicht *anschließend* fallen, sondern erst sagte Flemming noch einen kleinen Satz, nämlich er tobte los: Von dir hätte ich das am allerwenigsten erwartet, Wiebau!
Da setzte es bei mir aus. Da ließ ich die Platte fallen. Wie das klingt: Edgar Wiebau! – Aber

Korrektur

Edgar Wibeau! Kein Aas sagt ja auch Nivau statt Niveau. Ich meine, jeder Mensch hat schließlich das Recht, mit seinem richtigen Namen richtig angeredet zu werden. Wenn einer keinen Wert darauf legt – seine Sache. Aber ich lege nun mal Wert darauf. Das ging schon jahrelang so. Mutter ließ sich das egal weg gefallen, mit Wiebau angeredet zu werden. Sie war der Meinung, das hätte sich nun mal so eingebürgert, und sie wär nicht gestorben davon und überhaupt, alles, was sie im Werk geworden ist, ist sie unter dem Namen Wiebau geworden. Und natürlich hieß unsereins dann auch Wiebau! Was ist denn mit Wibeau? Wenn's Hitler wär oder Himmler! Das wär echt säuisch! Aber so? Wibeau ist ein alter Hugenottenname, na und? – Trotzdem war das natürlich kein Grund, olle Flemming die olle Platte auf seinen ollen Zeh zu setzen. Das war eine echte Sauerei. Mir war gleich klar, daß jetzt kein Schwein mehr über die Ausbildung reden würde, sondern bloß noch über die Platte und den Zeh. Manchmal war mir eben plötzlich heiß und schwindlig, und dann machte ich was, von dem ich nachher nicht mehr wußte, was es war. Das war mein Hugenottenblut, oder ich hatte einen zu hohen Blutdruck. Zu hohen Hugenottenblutdruck.

»Du meinst, Edgar hat einfach die Konsequenz der Sache gescheut und ist deshalb weg?«

»Ja. Was sonst?«

Ich will mal sagen: Besonders scharf war ich auf das Nachspiel nicht. »Was sagt der Jugendfreund Edgar Wiebau (!) zu seinem Verhalten zu Meister Flemming?« Leute! Ich hätt mir doch lieber sonstwas abgebissen, als irgendwas zu sülzen von: Ich sehe ein... Ich werde in Zukunft..., verpflichte mich hiermit... und so weiter! Ich hatte was gegen Selbstkritik, ich meine: gegen öffentliche. Das ist irgendwie entwürdigend. Ich weiß nicht, ob mich einer versteht. Ich finde, man muß dem Menschen seinen Stolz lassen. Genauso mit diesem Vorbild. Alle forzlang kommt doch einer und will hören, ob man ein Vorbild hat und welches, oder man muß in der Woche drei Aufsätze darüber schreiben. Kann schon sein, ich hab eins, aber ich stell mich doch nicht auf den Markt damit. Einmal hab ich geschrieben: Mein größtes Vorbild ist Edgar Wibeau. Ich möchte so werden, wie er mal wird. Mehr nicht. Das heißt: Ich *wollte* es schreiben. Ich hab's dann bleibenlassen, Leute. Dabei wäre der Aufsatz höchstens nicht gewertet worden.

Kein Aas von Lehrer traute sich doch, mir eine Fünf oder was zu geben.

»Kannst du dich an sonst noch was erinnern?«

»An einen Streit natürlich? – Wir haben uns nie gestritten. Doch, einmal schmiß er sich vor Wut die Treppen runter, weil ich ihn irgendwohin nicht mitnehmen wollte. Da war er fünf, wenn du *das* meinst. – Trotzdem wird alles wohl meine Schuld sein.«

Das ist großer Quatsch! Hier hat niemand schuld, nur ich. Das wolln wir mal festhalten! – Edgar Wibeau hat die Lehre geschmissen und ist von zu Hause weg, *weil er das schon lange vorhatte.* Er hat sich in Berlin als Anstreicher durchgeschlagen, hat seinen Spaß gehabt, hat Charlotte gehabt und hat beinah eine große Erfindung gemacht, *weil er das so wollte!*
Daß ich dabei über den Jordan ging, ist echter Mist. Aber wenn das einen tröstet: Ich hab nicht viel gemerkt. 380 Volt sind kein Scherz, Leute. Es ging ganz schnell. Ansonsten ist Bedauern jenseits des Jordan nicht üblich. Wir alle hier wissen, was uns blüht. Daß wir aufhören zu existie-

ren, wenn ihr aufhört, an uns zu denken. Meine Chancen sind da wohl mau. Bin zu jung gewesen.

»Mein Name ist Wibeau.«
»Angenehm. – Lindner, Willi.«

Salute, Willi! Du warst zeitlebens mein bester Kumpel, tu mir jetzt einen Gefallen. Fang nicht auch an, in deiner Seele oder wo nach Schuld zu wühlen und so. Reiß dich zusammen.

»Es soll Tonbänder von Edgar geben, die er besprochen hat? Sind sie greifbar? Ich meine, kann ich sie hören?
Gelegentlich?«
»Ja. Das geht.«

Die Tonbänder:
kurz und gut / wilhelm / ich habe eine bekanntschaft gemacht / die mein herz näher angeht – einen engel – und doch bin ich nicht imstande / dir zu sagen / wie sie vollkommen ist / warum sie vollkommen ist / genug / sie hat allen meinen sinn gefangengenommen – ende

nein / ich betrüge mich nicht – ich lese in ihren
schwarzen augen wahre teilnehmung an mir und
meinem schicksal – sie ist mir heilig – alle begier
schweigt in ihrer gegenwart – ende

genug / wilhelm / der bräutigam ist da – glücklicherweise war ich nicht beim empfange – das
hätte mir das herz zerrissen – ende

er will mir wohl / und ich vermute / das ist lottens werk / denn darin sind die weiber fein und
haben recht / wenn sie zwei verehrer in gutem
vernehmen miteinander erhalten können / ist
der vorteil immer ihr / so selten es auch angeht –
ende

das war eine nacht – wilhelm / nun überstehe ich
alles – ich werde sie nicht wiedersehn – hier sitz
ich und schnappe nach luft / suche mich zu beruhigen / erwarte den morgen / und mit sonnenaufgang sind die pferde

o meine freunde / warum der strom des genies
so selten ausbricht / so selten in hohen fluten her-
einbraust und eure staunende seele erschüttert –
liebe freunde / da wohnen die gelassenen herren
auf beiden seiten des ufers / denen ihre garten-

häuschen / tulpenbeete und krautfelder zugrunde gehen würden / die daher in zeiten mit dämmen und ableiten der künftig drohenden gefahr abzuwenden wissen – das alles / wilhelm / macht mich stumm – ich kehre in mich selbst zurück und finde eine welt – ende.

und daran seid ihr alle schuld / die ihr mich in das joch geschwatzt und mir so viel von aktivität vorgesungen habt – aktivität – ich habe meine entlassung verlangt – bringe das meiner mutter in einem säftchen bei – ende

> »Verstehn Sie's?«
> »Nein. Nichts . . .«

Könnt ihr auch nicht. Kann keiner, nehme ich an. Ich hatte das aus dieser alten Schwarte oder Heft. Reclamheft. Ich kann nicht mal sagen, wie es hieß. Das olle Titelblatt ging flöten auf dem ollen Klo von Willis Laube. Das ganze Ding war in diesem unmöglichen Stil geschrieben.

> »Ich denke manchmal – ein Code.«
> »Für einen Code hat es zuviel Sinn.
> Ausgedacht hört es sich auch wieder nicht an.«

»Bei Ed wußte man nie. Der dachte sich noch ganz andere Sachen aus. Ganze Songs zum Beispiel. Text *und* Melodie! Irgendein Instrument, das er nach zwei Tagen nicht spielen konnte, gab's überhaupt nicht. Oder nach einer Woche, von mir aus. Er konnte Rechenmaschinen aus Pappe baun, die funktionieren heute noch. Aber die meiste Zeit haben wir gemalt.«

»Edgar hat gemalt? – Was waren das für Bilder?«

»Immer DIN A 2.«

»Ich meine: was für Motive? Oder kann man welche sehen?«

»Nicht möglich. Die hatte er alle bei sich. Und ›Motive‹ kann man nicht sagen. Wir malten durchweg abstrakt. Eins hieß Physik. Und: Chemie. Oder: Hirn eines Mathematikers. Bloß, seine Mutter war dagegen. Ed sollte erst einen ›ordentlichen Beruf‹ haben. Ed hatte ziemlich viel Ärger deswegen, wenn Sie das interessiert. Aber am sauersten war er immer, wenn er rauskriegte, daß sie, also seine Mutter, mal wieder eine Karte von seinem Erzeuger..., ich meine: von seinem Vater . . ., ich meine: von Ihnen zurückgehalten hatte. Das kam

hin und wieder vor. Dann war er immer
ungeheuer sauer.«

Das stimmt. Das stank mich immer fast gar
nicht an. Schließlich gab es immer noch so was
wie ein Briefgeheimnis, und die Karten waren
eindeutig an mich. An Herrn Edgar Wibeau,
den ollen Hugenotten. Jeder Blöde hätte gemerkt, daß ich eben nichts wissen sollte über
meinen Erzeuger, diesen Schlamper, der soff und
der es ewig mit Weibern hatte. Der schwarze
Mann von Mittenberg. Der mit seiner Malerei,
die kein Mensch verstand, was natürlich allemal
an der Malerei lag.

aufrührerisch

»Und deswegen ging Edgar weg, glauben
Sie?«
»Ich weiß nicht . . . Jedenfalls, was die meisten denken, Ed ging weg wegen dieser
Sache mit Flemming, das ist Quatsch.
Warum er das gemacht hat, versteh ich
zwar auch nicht. Ed hatte nichts aus-
zustehen. Er war Chef in allen Fächern,
ohne zu pauken. Und er hielt sich sonst
immer aus allem raus. Ärger gab es bei uns
öfter. Viele sagten: Muttersöhnchen. Natürlich nicht öffentlich. Ed war ein kleiner

Stier. Oder er hätte es überhört. Beispiels-
weise das mit den Miniröcken. Die Weiber, ich meine: die Mädchen aus unserer
Klasse, sie konnten es nicht bleibenlassen, in diesen Miniröcken in der Werkstatt
aufzukreuzen, zur Arbeit. Um den Aus-
bildern was zu zeigen. X-mal hatten sie
das schon verboten. Das stank uns dann
so an, daß wir mal, alle Jungs, eines Morgens in Miniröcken zur Arbeit antraten.
Das war eine ziemliche Superschau. Ed
hielt sich da raus. Das war ihm wohl auch
zu albern.«

Leider hatte ich nichts gegen kurze Röcke. Man
kommt morgens völlig vertrieft aus dem ollen
Bett, sieht die erste Frau am Fenster, schon lebt
man etwas. Ansonsten kann sich von mir aus
jeder anziehen, wie er will. Trotzdem war die
Sache ein echter Jux. Hätte von mir sein können, die Idee. Rausgehalten hab ich mich einfach, weil ich Muttern keinen Ärger machen
wollte. Das war wirklich ein großer Fehler von
mir: Ich wollte ihr nie Ärger machen. Ich war
überhaupt daran gewöhnt, nie jemand Ärger
zu machen. Auf die Art muß man sich dann jeden Spaß verkneifen. Das konnte einen lang-

sam anstinken. Ich weiß nicht, ob mich einer versteht. Damit sind wir beim Thema, weshalb ich zu Hause kündigte. Ich hatte einfach genug davon, als lebender Beweis dafür rumzulaufen, daß man einen Jungen auch *sehr* gut ohne Vater erziehen kann. Das sollte es doch sein. An einem Tag war ich mal auf den blöden Gedanken gekommen, was gewesen wäre, wenn ich plötzlich abkratzen müßte, schwarze Pocken oder was. Ich meine, was ich dann vom Leben gehabt hätte. Den Gedanken wurde ich einfach nicht mehr los.

»Wenn Sie mich fragen – Ed ging weg, weil er Maler werden wollte. Das war der Grund. Mist war bloß, daß sie ihn an der Kunsthochschule ablehnten in Berlin.«
»Warum?«
»Ed sagte: Unbegabt. Phantasielos. Er war ziemlich sauer.«

War ich! Aber *Fakt* war, daß meine gesammelten Werke nicht die Bohne was taugten. Weshalb malten wir denn die ganze Zeit abstrakt? – Weil ich Idiot nie im Leben was Echtes malen konnte, daß man es wiedererkannt hätte, einen ollen

Hund oder was. Ich glaube, das mit der ganzen Malerei war eine echte Idiotie von mir. Trotzdem war die Szene an sich nicht schlecht, wie ich da in diese Hochschule klotzte und gleich rein in das Zimmer von diesem Professor und wie ich ihm meine gesammelten Werke knallhart auf den Tisch blätterte.

Er fragte erst mal: Wie lange machen Sie das schon?

Ich: Weiß nicht! Schon lange.

Ich sah ihn nicht mal an dabei.

Er: Haben Sie einen Beruf?

Ich: Nicht daß ich wüßte. Wozu auch?

Mindestens da hätte er mich rausschmeißen müssen! Aber der Mann war hart. Er blieb bei der Stange!

Er: Hat das irgendeine Ordnung? Was ist das letzte, was das erste?

Er meinte meine Ausstellung auf seinem Tisch.

Ich: Die frühen Sachen liegen links.

Die frühen Sachen! Leute! Das hatte ich gut drauf. Das war ein Tiefschlag.

Er: Wie alt sind Sie?

Der Kerl war wirklich hart!

Ich nuschelte: Neunzehn!

Ich weiß nicht, ob er mir das glaubte.

Er: Phantasie haben Sie. Das ist keine Frage,

überhaupt keine, und zeichnen können Sie auch. Wenn Sie einen Beruf hätten, würde ich sagen: technischer Zeichner.

Ich fing an, meine Blätter einzupacken.

Er: Ich kann mich auch irren. Lassen Sie uns Ihre Sachen für ein paar Tage hier. Vier oder sechs Augen sehen bekanntlich mehr als zwei.

Ich packte ein. Eisern. Ein verkannteres Genie als mich hatte es noch nie gegeben.

»Trotzdem seid ihr in Berlin geblieben?«

»Ed – ich nicht. Ich konnte das nicht. Aber ich hab ihm noch zugeredet. Theoretisch war das auch richtig. Schließlich kann einer nirgends so gut untertauchen wie in Berlin und sich einen Namen machen. Ich meine, ich hab ihm nicht etwa gesagt, bleib hier oder so. Auf die Art kam man an Ed nicht ran. Wir hatten in Berlin eine Laube. Wir kamen aus Berlin, als Vater hierher versetzt wurde. Die Laube wurden wir nicht los, da sollten angeblich sofort Neubauten hin. Ich hatte für alle Fälle den Schlüssel. Diese Bude war noch ganz gut in Schuß. Wir nahmen sie also in Augenschein, und ich redete die ganze Zeit dagegen. Daß das Dach hin ist. Daß einer die ollen Dekken vom Sofa geklaut hätte. Unsere alten Möbel waren da drin, wie das so ist. Und daß die Laube eben auf Abriß steht, wegen dieser Neubauten. Ed biß sich denn auch immer mehr fest. Er packte seine Sachen aus. Was heißt Sachen? Mehr als die Bilder hatte er eigentlich nicht, nur, was er auf dem Leib hatte. Seine Rupfenjacke, die hatte er sich selber genäht, mit Kupferdraht, und seine alten Jeans.«

Natürlich Jeans! Oder kann sich einer ein Leben ohne Jeans vorstellen? Jeans sind die edelsten Hosen der Welt. Dafür verzichte ich doch auf die ganzen synthetischen Lappen aus der Jumo, die ewig tiffig aussehen. Für Jeans konnte ich überhaupt auf alles verzichten, außer der *schönsten Sache* vielleicht. Und außer Musik. Ich meine jetzt nicht irgendeinen Händelsohn Bacholdy, sondern echte Musik, Leute. Ich hatte nichts gegen Bacholdy oder einen, aber sie rissen mich nicht gerade vom Hocker. Ich meine natürlich echte Jeans. Es gibt ja auch einen Haufen Plunder, der bloß so tut wie echte Jeans. Dafür lieber gar keine Hosen. Echte Jeans dürfen zum Beispiel keinen Reißverschluß haben vorn. Es gibt ja überhaupt nur eine Sorte echte Jeans.

Wer echter Jeansträger ist, weiß, welche ich meine. Was nicht heißt, daß jeder, der echte Jeans trägt, auch echter Jeansträger ist. Die meisten wissen gar nicht, was sie da auf dem Leib haben. Es tötete mich immer fast gar nicht, wenn ich so einen fünfundzwanzigjährigen Knacker mit Jeans sah, die er sich über seine verfetteten Hüften gezwängt hatte und in der Taille zugeschnürt. Dabei sind Jeans Hüfthosen, das heißt Hosen, die einem von der Hüfte rutschen, wenn sie nicht eng genug sind und einfach durch Reibungswiderstand obenbleiben. Dazu darf man natürlich keine fetten Hüften haben und einen fetten Arsch schon gar nicht, weil sie sonst nicht zugehen im Bund. Das kapiert einer mit fünfundzwanzig schon nicht mehr. Das ist, wie wenn einer dem Abzeichen nach Kommunist ist und zu Hause seine Frau prügelt. Ich meine, Jeans sind eine Einstellung und keine Hosen. Ich hab überhaupt manchmal gedacht, man dürfte nicht älter werden als siebzehn – achtzehn. Danach fängt es mit dem Beruf an oder mit irgendeinem Studium oder mit der Armee, und dann ist mit keinem mehr zu reden. Ich hab jedenfalls keinen gekannt. Vielleicht versteht mich keiner. Dann zieht man eben Jeans an, die einem nicht mehr zustehen. Edel ist wieder, wenn einer auf

Rente ist und trägt dann Jeans, mit Bauch und Hosenträgern. Das ist wieder edel. Ich hab aber keinen gekannt, außer Zaremba. Zaremba war edel. Der hätte welche tragen können, wenn er gewollt hätte, und es hätte keinen angestunken.

>Ed wollte sogar, daß ich dableiben sollte. ›Wir kommen durch!‹ sagte er. Aber das war nicht geplant, und ich konnte es auch nicht. Ed konnte das, ich nicht. Ich wollte schon, aber ich konnte nicht.
Ed sagte dann noch: Zu Hause sag: Ich lebe, und damit gut. Das war das letzte, was ich von ihm hörte. Ich bin dann zurückgefahren.«

Du bist in Ordnung, Willi. Du kannst so bleiben. Du bist ein Steher. Ich bin zufrieden mit dir. Wenn ich ein Testament gemacht hätte, hätte ich dich zu meinem Alleinerben gemacht. Vielleicht hab ich dich immer unterschätzt. Wie du mir die Laube eingeredet hast, war sauber. Aber ich hab es auch nicht ehrlich gemeint, daß du dableiben solltest. Ich meine, ehrlich schon. Wir wären gut gefahren zusammen. Aber wirklich ehrlich nicht. Wenn einer sein Leben lang nie echt allein gewesen ist und er *hat* plötzlich die Chance, dann ist

er vielleicht nicht ganz ehrlich. Ich hoffe, du hast es nicht gemerkt. Wenn doch, vergiß es. Als du weg warst, kam ich jedenfalls noch in eine ganz verrückte Stimmung. Erst wollte ich einfach pennen gehen, ganz automatisch. Meine Zeit war ran. Dann fing ich erst an zu begreifen, daß ich ab jetzt machen konnte, wozu ich Lust hatte. Daß mir keiner mehr reinreden konnte. Daß ich mir nicht mal mehr die Hände zu waschen brauchte vorm Essen, wenn ich nicht wollte. Essen hätte ich eigentlich müssen, aber ich hatte nicht *so* viel Hunger. Ich verstreute also zunächst mal meine sämtlichen Plünnen und Rapeiken möglichst systemlos im Raum. Die Socken auf den Tisch. Das war der Clou. Dann griff ich zum Mikro, warf den Recorder an und fing mit einer meiner Privatsendungen an: Damen und Herren! Kumpels und Kumpelinen! Gerechte und Ungerechte! Entspannt euch! Scheucht eure kleinen Geschwister ins Kino! Sperrt eure Eltern in die Speisekammer! Hier ist wieder euer Eddie, der Unverwüstliche...
Ich fing meinen Bluejeans-Song an, den ich vor drei Jahren gemacht hatte und der jedes Jahr besser wurde.

Oh, Bluejeans
White Jeans? – No
Black Jeans? – No
Blue Jeans, oh
Oh, Bluejeans, jeah

Oh, Bluejeans
Old Jeans? – No
New Jeans? – No
Blue Jeans, oh
Oh, Bluejeans, jeah

Vielleicht kann sich das einer vorstellen. Das alles in diesem ganz satten Sound, in *seinem* Stil eben. Manche halten *ihn* für tot. Das ist völliger Humbug. Satchmo ist überhaupt nicht totzukriegen, weil der Jazz nicht totzukriegen ist. Ich glaube, ich hatte diesen Song vorher nie so gut draufgehabt. Anschließend fühlte ich mich wie Robinson Crusoe und Satchmo auf einmal. Robinson Satchmo. Ich Idiot pinnte meine gesammelten Werke an die Wand. Immerhin wußte so jeder gleich Bescheid: Hier wohnt das verkannte Genie Edgar Wibeau. Ich war vielleicht ein Idiot, Leute! Aber ich war echt high. Ich wußte nicht, was ich zuerst machen sollte. An sich wollte ich gleich in die Stadt fahren und mir Berlin beschnarchen, das ganze Nachtleben und das und ins Hugenottenmuseum gehen. Ich sagte wohl schon, daß ich väterlicherseits Hugenotte war. Ich nahm stark an, daß ich in Berlin Hinweise auf die Familie Wibeau finden würde. Ich glaube, ich Idiot hatte die Hoffnung, das wären vielleicht Adlige gewesen. Edgar de Wibeau und so. Aber ich sagte mir, daß um die Zeit wohl kein Museum mehr offenhaben würde. Ich wußte auch nicht, wo es war.

Ich analysierte mich kurz und stellte fest, daß ich eigentlich lesen wollte, und zwar wenigstens bis gegen Morgen. Dann wollte ich bis Mittag pennen und dann sehen, wie der Hase läuft in Berlin. Überhaupt wollte ich es so machen: bis Mittag schlafen und dann bis Mitternacht leben. Ich wurde sowieso im Leben nie vor Mittag wirklich munter. Mein Problem war bloß: Ich hatte keinen Stoff. – Ich hoffe, es denkt jetzt keiner, ich meine Hasch und das Opium. Ich hatte nichts gegen Hasch. Ich kannte zwar keinen. Aber ich glaube, ich Idiot wäre so idiotisch gewesen, welchen zu nehmen, wenn ich irgendwo hätte welchen aufreißen können. Aus purer Neugierde. Old Willi und ich hatten seinerzeit ein halbes Jahr Bananenschalen gesammelt und sie getrocknet. Das soll etwa so gut wie Hasch sein. Ich hab nicht die Bohne was gemerkt, außer daß mir die Spucke den ganzen Hals zuklebte. Wir legten uns auf den Teppich, ließen den Recorder laufen und rauchten diese Schalen. Als nichts passierte, fing ich an die Augen zu verdrehen und verzückt zu lächeln und ungeheuer rumzuspinnen, als wenn ich sonstwie high wäre. Als Old Willi das sah, fing er auch an, aber ich bin überzeugt, bei ihm spielte sich genausowenig ab wie bei mir. Ich bin übrigens nie wieder auf den Bananenstoff und solchen Mist zurückgekommen, überhaupt auf keinen Stoff. Was ich also meine, ist: ich hatte keinen Lesestoff. Oder denkt einer, ich hätte vielleicht Bücher mitgeschleppt? Nicht mal meine Lieblingsbücher. Ich dachte, ich wollte nicht Sachen von früher mit rumschleppen. Außerdem kannte ich die zwei Bücher so gut wie auswendig. Meine Meinung zu Büchern war: Alle Bücher kann kein Mensch lesen, nicht mal alle sehr guten. Folglich konzentrierte ich mich auf zwei. Sowieso sind meiner Meinung nach in jedem Buch fast *alle* Bücher. Ich weiß nicht, ob mich einer versteht. Ich meine, um ein Buch zu schreiben, muß einer ein paar tausend Stück andere gelesen haben. Ich kann's mir jedenfalls nicht anders vorstellen. Sagen wir: dreitausend. Und jedes davon hat einer verfaßt, der selber dreitausend gelesen hat.

Kein Mensch weiß, wieviel Bücher es gibt. Aber bei dieser einfachen Rechnung kommen schon ...zig Milliarden und das mal zwei raus. Ich fand, das reicht. Meine zwei Lieblingsbücher waren: Robinson Crusoe. Jetzt wird vielleicht einer grinsen. Ich hätte das nie im Leben zugegeben. Das andere war von diesem Salinger. Ich hatte es durch puren Zufall in die Klauen gekriegt. Kein Mensch kannte das. Ich meine: kein Mensch hatte es mir empfohlen oder so. Bloß gut. Ich hätte es dann nie angefaßt. Meine Erfahrungen mit empfohlenen Büchern waren hervorragend mies. Ich Idiot war so verrückt, daß ich ein empfohlenes Buch blöd fand, selbst wenn es gut war. Trotzdem werd ich jetzt noch blaß, wenn ich denke, ich hätte dieses Buch vielleicht nie in die Finger gekriegt. Dieser Salinger ist ein edler Kerl. Wie er da in diesem nassen New York rumkraucht und nicht nach Hause kann, weil er von dieser Schule abgehauen ist, wo sie ihn sowieso exen wollten, das ging mir immer ungeheuer an die Nieren. Wenn ich seine Adresse gewußt hätte, hätte ich ihm geschrieben, er soll zu uns rüberkommen. Er muß genau in meinem Alter gewesen sein. Mittenberg war natürlich ein Nest gegen New York, aber erholt hätte er sich hervorragend bei uns. Vor allem hätten wir seine blöden sexuellen Probleme beseitigt. Das ist vielleicht das einzige, was ich an Salinger nie verstanden habe. Das sagt sich vielleicht leicht für einen, der nie sexuelle Probleme hatte. Ich kann nur jedem sagen, der diese Schwierigkeiten hat, er soll sich eine Freundin anschaffen. Das ist der einzige Weg. Ich meine jetzt nicht, irgendeine. Das nie. Aber wenn man zum Beispiel merkt, eine lacht über dieselben Sachen wie man selbst. Das ist schon immer ein sicheres Zeichen, Leute. Ich hätte Salinger sofort wenigstens zwei in Mittenberg sagen können, die über dieselben Sachen gelacht hätten wie er. Und wenn nicht, dann hätten wir sie dazu gebracht.

Wenn ich gewollt hätte, hätte ich mich hinhauen können und das ganze Buch trocken lesen können oder auch den Crusoe. Ich meine: ich konnte sie im Kopf lesen. Das war meine Methode zu Hause, wenn ich einer gewissen Frau Wibeau mal wieder keinen Ärger machen wollte. Aber darauf war ich schließlich nicht mehr angewiesen. Ich fing an, Willis Laube nach was Lesbarem durchzukramen. Du Scheiße! Seine Alten mußten plötzlich zu Wohlstand gekommen sein. Das gesamte alte Möblement einer Vierzimmerwohnung hatten sie hier gestapelt, mit allem Drum und Dran. Aber kein lumpiges Buch, nicht mal ein Stück Zeitung. Überhaupt kein Papier. Auch nicht in dem Loch von Küche. Eine komplette Einrichtung, aber kein Buch. Willis alte Leute mußten ungeheuer an ihren Büchern gehangen haben. In dem Moment fühlte ich mich unwohl. Der Garten war dunkel wie ein Loch. Ich rannte mir fast überhaupt nicht meine olle Birne an der Pumpe und an den Bäumen da ein, bis ich das Plumpsklo fand. An sich wollte ich mich bloß verflüssigen, aber wie immer breitete sich das Gerücht davon in meinen gesamten Därmen aus. Das war ein echtes Leiden von mir. Zeitlebens konnte ich die beiden Geschichten nicht auseinanderhalten. Wenn ich mich verflüssigen mußte, mußte ich auch immer ein Ei legen, da half nichts. Und kein Papier, Leute. Ich fummelte wie ein Irrer in dem ganzen Klo rum. Und dabei kriegte ich dann dieses berühmte Buch oder Heft in die Klauen. Um irgendwas zu erkennen, war es zu dunkel. Ich opferte also zunächst die Deckel, dann die Titelseite und dann die letzten Seiten, wo erfahrungsgemäß das Nachwort steht, das sowieso kein Aas liest. Bei Licht stellte ich fest, daß ich tatsächlich völlig exakt gearbeitet hatte. Vorher legte ich aber noch eine Gedenkminute ein. Immerhin war ich soeben den letzten Rest von Mittenberg losgeworden. Nach zwei Seiten schoß ich den Vogel in die Ecke. Leute, das konnte wirklich kein Schwein lesen. Beim besten Willen nicht. Fünf Minuten später hatte ich den Vogel wieder in der Hand. Entweder ich wollte bis früh lesen oder nicht. Das war meine Art. Drei Stunden später hatte ich es hinter mir.

Ich war fast gar nicht sauer! Der Kerl in dem Buch, dieser Werther, wie er hieß, macht am Schluß Selbstmord. Gibt einfach den Löffel ab. Schießt sich ein Loch in seine olle Birne, weil er die Frau nicht kriegen kann, die er haben will, und tut sich ungeheuer leid dabei. Wenn er nicht völlig verblödet war, mußte er doch sehen, daß sie nur darauf wartete, daß er was *machte*, diese Charlotte. Ich meine, wenn ich mit einer Frau allein im Zimmer bin und wenn ich weiß, vor einer halben Stunde oder so kommt keiner da rein, Leute, dann versuch ich doch *alles*. Kann sein, ich handle mir ein paar Schellen ein, na und? Immer noch besser als eine verpaßte Gelegenheit. Außerdem gibt es höchstens in zwei von zehn Fällen Schellen. Das ist Tatsache. Und dieser Werther war . . . zigmal mit ihr allein. Schon in diesem Park. Und was macht er? Er sieht ruhig zu, wie sie heiratet. Und dann murkst er sich ab. Dem war nicht zu helfen.

Wirklich leid tat mir bloß die Frau. Jetzt saß sie mit ihrem Mann da, diesem Kissenpuper. Wenigstens daran hätte Werther denken müssen. Und dann: Nehmen wir mal an, an die Frau wäre wirklich kein Rankommen gewesen. Das war noch lange kein Grund, sich zu durchlöchern. Er hatte doch ein Pferd! Da wär ich doch wie nichts in die Wälder. Davon gab's doch damals noch genug. Und Kumpels hätte er eins zu tausend massenweise gefunden. Zum Beispiel Thomas Müntzer oder wen. Das war nichts Reelles. Reiner Mist. Außerdem dieser Stil. Das wimmelte nur so von Herz und Seele und Glück und Tränen. Ich kann mir nicht vorstellen, daß welche so geredet haben sollen, auch nicht vor drei Jahrhunderten. Der ganze Apparat bestand aus lauter Briefen, von diesem unmöglichen Werther an seinen Kumpel zu Hause. Das sollte wahrscheinlich ungeheuer originell wirken oder unausgedacht. Der das geschrieben hat, soll sich mal meinen Salinger durchlesen. *Das* ist echt, Leute!
Ich kann euch nur raten, ihn zu lesen, wenn ihr ihn irgendwo aufreißen könnt. Reißt euch das Ding unter den Nagel, wenn ihr es bei irgendwem stehen seht, und gebt es nicht wieder her! Leiht es euch aus und gebt es nicht wieder zurück.

Ihr sagt einfach, ihr habt es verloren. Das kostet fünf Mark, na und? Laßt euch nicht etwa vom Titel täuschen. Ich gebe zu, er popt nicht besonders, vielleicht ist er schlecht übersetzt, aber egal. Oder ihr seht euch den Film an. Das heißt, ich weiß nicht genau, ob es einen Film danach gibt. Es ging mir damit wie mit Robinson. Ich sah alles ganz genau vor mir, jedes Bild. Ich weiß nicht, ob das einer kennt. Man sieht alles so genau vor sich, als wenn man es im Film gesehen hat, und dann stellt sich heraus, es gibt überhaupt keinen Film. Aber wenn es tatsächlich keinen Salinger-Film gibt, kann ich jedem Regisseur nur raten, einen zu drehen. Er hat den Erfolg schon in der Tasche. Ich weiß zwar nicht, ob ich selbst hingegangen wäre. Ich glaube, ich hätte Schiß gehabt, mir meinen eigenen Film kaputtmachen zu lassen. Ich war zeitlebens überhaupt kein großer Kinofan. Wenn es nicht gerade Chaplin gab oder etwas in der Art, diese überdrehten Melonenfilme, wo die Bullen in ihren idiotischen Tropenhelmen immer so herrlich verarscht werden, hättet ihr mich in jedem Kino suchen können. Oder »Junge Dornen« mit Sidney Poitier, vielleicht kennt den einer. Den hätte ich mir jeden Tag ansehen können. Ich rede jetzt natürlich nicht von diesen Pflichtfilmen für den Geschichtsunterricht.

Da mußte einer hin. Die standen im Lehrplan. Ich ging da übrigens gern hin. Man kriegte in einer Stunde mit, wozu man sonst ewig und drei Tage im Geschichtsbuch rumlesen mußte. Ich fand immer, das war ein praktisches Verfahren. Ich hätte gern mal einen gesprochen, der solche Filme macht. Ich hätte ihm gesagt: Weiter so. Ich finde, solche Leute muß man ermuntern. Sie sparen einem viel Zeit. Ich war zwar mit jemand vom Film bekannt, es war zwar kein Regisseur, der Mann schrieb die Bücher, aber ich glaube, kaum für solche Geschichtsfilme.

Er grinste bloß, als ich ihm meine Meinung dazu sagte. Ich konnte ihm nicht klarmachen, daß ich es ernst damit meinte. Ich lernte ihn kennen, als sie uns eines Tages von der Berufsschule in einen Film scheuchten, zu dem er das Buch geliefert hatte. Anschließend: Gespräch mit den Schöpfern. Aber nun nicht jeder, der wollte, sondern nur die Besten, die Vorbilder – als Auszeichnung. Die ganze Show fand nämlich während des Unterrichts statt. Und vorneweg natürlich Edgar Wibeau, dieser intelligente, gebildete, disziplinierte Junge. Unser Prachtstück! Und all die anderen Prachtstücke aus den anderen Lehrjahren, pro Lehrjahr immer zwei.

Der Film spielte heute. Ich will nicht viel darüber sagen. Freiwillig wär ich nie da reingegangen, oder höchstens, weil meine M.S.-Jungs die Musik gemacht hatten. Ich nehme an, sie wollten ins Filmgeschäft kommen. Es ging um so einen Typ, der aus dem Bau kam und jetzt ein neues Leben anfangen wollte. Bis dahin hatte er wohl ziemlich quer gelegen, ich meine politisch, und der Bau hatte daran auch nicht viel geändert. Sein Delikt war Körperverletzung, er hatte so einem Veteranen eine angesetzt, weil der ihn gereizt hatte in Fragen zu lauter und zu scharfer Musik. Gleich nach dem Bau kam er ins Krankenhaus, ich glaube, wegen Gelbsucht, jedenfalls durfte ihn keiner besuchen. Er hatte auch niemand. Aber im Krankenhaus, auf seinem Zimmer, lag so ein Agitator oder was das sein sollte. Jedenfalls redete er so. Als ich das sah, wußte ich sofort, was kam. Der Mann würde so lange auf ihn losreden, bis er alles einsah, und dann würden sie ihn hervorragend einreihen. Und so kam es dann auch. Er kam in eine prachtvolle Brigade mit einem prachtvollen Brigadier, lernte eine prachtvolle Studentin kennen, deren Eltern waren zwar zuerst dagegen, wurden dann aber noch ganz prachtvoll, als sie sahen, was für ein prachtvoller Junge er doch geworden war, und zuletzt durfte er dann auch noch zur Fahne. Ich weiß nicht, wer diesen prachtvollen Film gesehen hat, Leute. Das einzige, was mich noch interessierte außer der Musik, war dieser Bruder da von dem Helden. Er schleppte ihn überall mit hin, weil er auch eingereiht werden sollte. Sie waren nämlich immerzu auf der Suche nach diesem Agitator. Das sollte wohl rührend sein oder was. Der Bruder ließ sich auch mitschleppen, die Reiserei machte ihm zum Teil sogar Spaß, und diese prachtvolle Studentin konnte ihm auch was sein und er ihr auch, ich dachte an einer Stelle sogar, noch ein Wort und er kriegt sie rum, wenn er will. Jedenfalls wurde sie mir von dem Moment an gleich viel sympathischer. Alles das machte er mit, aber einreihen ließ er sich deswegen noch lange nicht. Er wollte Clown im Zirkus werden, und das ließ er sich nicht ausreden. Sie sagten, er will sich bloß rumtreiben, statt einen ordentlichen Beruf zu lernen. Einen ordentlichen Beruf, Leute, das kannte ich! Natürlich wollte er unter anderem zum Zirkus, weil er da die Welt sehen konnte, jedenfalls ein Stück. Na und? Ich verstand ihn völlig. Ich verstand nicht, was daran schlecht sein sollte. Ich glaube, die meisten wollen die Welt sehen. Wer von sich behauptet: nein – der lügt. Ich stieg immer sofort aus, wenn einer behauptete, Mittenberg, das sollte schon die

Welt sein. Und dieser Bruder stieg eben auch aus.

Langsam interessierte mich der Mann, der das verfaßt hatte. Ich beobachtete ihn die ganze Zeit, in der wir da im Lehrerzimmer saßen und erzählten, wie hervorragend wir den Film gefunden hätten und was wir alles daraus lernen könnten. Erst sagten alle anwesenden Lehrer und Ausbilder, was wir daraus zu lernen haben, und dann sagten wir, was wir daraus gelernt hatten. Der Mann sagte die ganze Zeit kein Wort. Er sah ganz so aus, als wenn ihn diese ganze Show mit uns Musterknaben ungeheuer anödete. Danach fand für die Filmschöpfer ein Rundgang durch die ganzen Werkstätten von uns statt und das. Bei der Gelegenheit schmissen wir uns an den Mann ran, ich und Old Willi. Wir hängten uns an ihn ran und blieben mit ihm zurück. Ich hatte das Gefühl, daß er uns zunächst ganz dankbar war dafür. Dann sagte ich ihm meine eigentliche Meinung. Ich sagte ihm, daß ein Film, in dem die Leute in einer Tour lernen und gebessert werden, nur öde sein kann. Daß dann jeder gleich sieht, was *er* daraus lernen soll, und daß kein Aas Lust hat, wenn er den ganzen Tag über gelernt hat, auch abends im Kino noch zu lernen, wenn er denkt, er kann sich amüsieren. Er sagte, daß er sich das schon immer gedacht hätte, aber daß es nicht anders gegangen wäre. Ich riet ihm, dann einfach die Finger davon zu lassen und lieber diese Geschichtsfilme zu machen, bei denen jeder von vornherein weiß, daß sie nicht zum Amüsieren sind. Da sah er zu, daß er wieder Anschluß kriegte an seine Leute, die sich da von Flemming unsere hervorragende Ausbildung erklären ließen. Wir ließen ihn laufen. Ich hatte sowieso das Gefühl, daß er eine unwahrscheinliche Wut im Bauch hatte auf irgendwas an dem Tag oder überhaupt. Ich bedaure bloß, daß ich seine Adresse nicht hatte. Vielleicht war es in Berlin, dann hätte ich ihn besucht, und er hätte kaum abhauen können.

»Wohnt hier im Haus eine Familie Schmidt?«

»Zu wem wollen Sie da?«

»Zu Frau Schmidt.«

»Das bin ich. Da haben Sie Glück.«

»Ja. Mein Name ist Wibeau. Der Vater von Edgar.«

»Wie haben Sie mich gefunden?«

»Das war nicht ganz einfach.«

»Ich meine: Woher wußten Sie von mir?«

»Durch die Tonbänder. Edgar hat Tonbän-

der nach Mittenberg geschickt, wie Briefe.«
»Davon wußte ich nichts. Und da ist was von mir drauf?«
»Wenig. Daß sie Charlotte heißen und verheiratet sind. Und daß sie schwarze Augen haben.«

Bleib ruhig, Charlie. Ich hab nichts gesagt. Kein Wort.

»Wieso Charlotte? Ich heiß doch nicht Charlotte!«
»Ich weiß nicht. Warum weinen Sie? Weinen Sie doch nicht.«

Heul doch nicht, Charlie. Laß den Quatsch. Das ist doch kein Grund zum Heulen. Ich hatte den Namen aus dem blöden Buch.

»Entschuldigen Sie! Edgar war ein Idiot. Edgar war ein verbohrter, vernagelter Idiot. Ihm war nicht zu helfen. Entschuldigen Sie!«

Das stimmt. Ich war ein Idiot. Mann, war ich ein Idiot. Aber hör auf zu heulen. Ich glaube, keiner kann sich vorstellen, was ich für ein Idiot war.

»Ich war eigentlich gekommen, weil Sie vielleicht ein Bild haben, das er gemacht hat.«

»Edgar konnte überhaupt nicht malen. Das war auch so eine Idiotie von ihm. Jeder sah das, aber er ließ sich das nicht beweisen. Und wenn man es ihm auf den Kopf zusagte, faselte er irgendwelches Zeug, aus dem keiner schlau wurde. Wahrscheinlich nicht mal er selbst.«

So fand ich dich immer am besten, Charlie, wenn du so in Fahrt warst. Aber daß jeder gleich gesehen hat, daß ich nicht malen konnte, ist trotzdem nicht ganz korrekt. Ich meine, er hat es vielleicht gesehen, aber ich hatte es hervorragend drauf, so zu tun, als wenn ich könnte. Das ist überhaupt eine der schärfsten Sachen, Leute. Es kommt nicht so drauf an, daß man etwas kann, man muß es draufhaben, so zu tun. Dann läuft es. Jedenfalls bei Malerei und Kunst und diesem Zeug. Eine Zange ist gut, wenn sie kneift. Aber ein Bild oder was? Kein Aas weiß doch wirklich, ob eins gut ist oder nicht.

»Das fing gleich am ersten Tag an. Unser Kindergarten hatte in der Laubenkolonie

einen Auslauf, wie wir sagen, mit Buddelkasten, Schaukel und Wippe. Im Sommer
waren wir da den ganzen Tag draußen,
wenn's ging. Jetzt ist da alles aufgerissen.
Die Kinder stürzten sich immer förmlich in
den Buddelkasten und auf das Kletter-
gerüst in die Büsche. Die gehörten zwar
zum Nachbargrundstück, aber das gehörte
praktisch uns. Der Zaun stand lange nicht
mehr, und wir hatten da lange keinen Menschen mehr gesehen. Die ganze Kolonie war
ja auf Abriß. Plötzlich sah ich da einen
Menschen aus der Laube kommen, einen
Kerl, ungekämmt und völlig vergammelt.
Ich rief die Kinder sofort zu mir.«

Das war ich. Leute, war ich vertrieft. Ich war
ganz hervorragend vertrieft. Ich sah nichts. Ich
triefte auf mein Plumpsklo und von da zu der
Pumpe. Aber ich konnte das Pumpenwasser
einfach nicht anfassen. Ich hätte einen Trocknen
machen können in jeden See. Aber das Pumpenwasser hätte mich getötet. Ich weiß nicht, ob das
einer begreift. Ich war einfach zu früh wach geworden. Charlies Gören hatten mich wachge-
brüllt.

»Das war Edgar?«

»Das war Edgar. Ich verbot den Kindern sofort, wieder auf das Grundstück zu gehen. Aber wie sie so sind – fünf Minuten später waren sie alle weg. Ich rief sie, und dann sah ich: Sie waren drüben, bei Edgar. Edgar saß hinter seiner Laube mit Malzeug und sie hinter ihm, völlig still.«

Das stimmt. Ich war zwar nie ein großer Kinderfreund. Ich hatte nichts gegen Kinder, aber ich war nie ein großer Kinderfreund. Sie konnten einen anöden auf die Dauer, jedenfalls mich, oder Männer überhaupt. Oder hat schon mal einer was von einem Kindergärtner gehört? Bloß es stank mich immer fast gar nicht an, wenn einer gleich ein Wüstling oder Sittenstrolch sein sollte, weil er lange Haare hatte, keine Bügelfalten, nicht schon um fünf aufstand und sich nicht gleich mit Pumpenwasser kalt abseifte und nicht wußte, in welcher Lohngruppe er mit fünfzig sein würde. Folglich fischte ich mir mein Malzeug und fläzte mich hinter meine Laube und fing an, mit dem Bleistift allerhand Abstände anzupeilen, wie Maler das angeblich machen. Und fünf Minuten später waren Charlies Gören vollzählig hinter mir versammelt.

»Was malte er?«

»Eigentlich nichts. Striche. Die Kinder wollten das auch wissen.

Edgar sagte: Mal sehn. Vielleicht 'n Baum? Da kam sofort: Wieso vielleicht? Weißt du denn nicht, was du malst?

Und Edgar: Es kommt ganz drauf an, was heute morgen hier so drin ist. Kann man's wissen? Ein Maler muß sich erst locker malen, sonst wird der Baum zu steif, den er gerade malen will.

Sie amüsierten sich. Edgar konnte mit Kindern umgehen, aber zeichnen konnte er nicht, das sah ich sofort. Ich interessiere mich ein bißchen dafür.«

Stop mal, Charlie! Sie amüsierten sich, aber dieser Witz mit dem Baum war von dir. Ich dachte noch: So ist es immer. Einer amüsiert sich, und dann kommen diese Kindergärtnerinnen und geben eine ernste Erklärung. Dann drehte ich mich um und sah dich an. Ich dachte, mich streift ein Bus. Ich hatte dich unterschätzt. Da war glatt Ironie dabei! – Ich glaube, in dem Moment hat das Ganze angefangen, dieses Tauziehen oder was es war. Jeder wollte den anderen über den Strich ziehen. Charlie wollte mir beweisen, daß ich kein Stück malen konnte, sondern daß ich bloß ein großes Kind war, nicht so leben konnte und daß mir folglich geholfen werden mußte. Und ich wollte ihr das Gegenteil beweisen. Daß ich ein verkanntes Genie war, daß ich sehr gut so leben konnte, daß mir keiner zu helfen brauchte, und vor allem, daß ich alles andere als ein Kind war. Außerdem wollte ich sie von Anfang an haben. Rumkriegen sowieso, aber auch haben. Ich weiß nicht, ob mich einer versteht, Leute.

»Sie meinen, er konnte nicht nach der Natur zeichnen? Nicht abzeichnen?«
»Er konnte überhaupt nicht zeichnen. Warum er so tat, war auch klar: man sollte ihn für ein verkanntes Genie halten. Bloß warum das, das hab ich nie begriffen. Das war wie eine fixe Idee von ihm. Ich kam auf den Gedanken, ihn in unseren Kindergarten zu bringen und ihn dort eine Wand bemalen zu lassen. Zu verderben war nichts daran. Unser Haus stand auf Abriß. Meine Chefin hatte nichts dagegen. Ich dachte, Edgar würde sich drücken. Er kam aber. Bloß, er war ja so gerissen! Entschuldigen Sie, aber er war wirklich gerissen! Er drückte den Kindern einfach in die Hand, was an Pin-

seln da war, und ließ sie mit ihm zusammen malen, wozu sie Lust hatten. Ich wußte sofort, was kam. In einer halben Stunde hatten wir das schönste Fresko an der Wand. Und Edgar hatte nicht einen Strich gemacht, jedenfalls so gut wie.«

Das Ding lief großartig, ich wußte das. Ich wußte, daß kaum was passieren konnte. Kinder können einen ungeheuer anöden, aber malen können sie, daß man kaputtgeht. Wenn ich mir schon Bilder ansah, dann bin ich lieber in einen Kindergarten gegangen als in ein olles Museum. Außerdem schmieren sie sowieso gern Wände voll.
Die Kindertanten waren ganz weg. Sie fanden einfach herrlich, was ihre Kinderchen da gemacht hatten. Mir gefiel es übrigens auch. Kinder können wirklich malen, daß man kaputtgeht. Und Charlie konnte nichts machen. Die anderen delegierten sie, mir Mittagessen vorzusetzen. Wahrscheinlich hatten sie gemerkt, daß mir Charlie was sein konnte. Sie hätten auch blöd sein müssen. Ich himmelte Charlie die ganze Zeit an. Ich meine, ich himmelte sie nicht an mit Augenaufschlag und so. Das nicht, Leute. Ich hatte auch keine besonders umwerfenden Sehorgane in meinem ollen Hugenottenschädel.

Richtige Schweinsritzen gegen Charlies Schein-
werfer. Aber braun. Braun popt, im Ernst.
Wieder auf meiner Kolchose, hatte ich vielleicht
die beste Idee zeitlebens. Jedenfalls hat sie eine
Masse Jux eingebracht. Sie hat echt gepopt. Ich
kriegte wieder dieses Buch in die Klauen, dieses
Heft. Ich fing automatisch an zu lesen. Ich hatte
Zeit, und da hatte ich die *Idee*. Ich schoß in die
Bude, warf den Recorder an und diktierte an
Willi:
Das hatte ich direkt aus dem Buch, auch den Wilhelm. Kurz und gut, Wilhelm, ich habe eine Bekanntschaft gemacht, die mein Herz näher angeht … Einen Engel … Und doch bin ich nicht
imstande, dir zu sagen, wie sie vollkommen ist,
warum sie vollkommen ist, genug, sie hat allen
meinen Sinn gefangengenommen. Ende.
Dadurch war ich erst auf die *Idee* gekommen.
Ich schaffte das Band sofort zur Post. Eine Nach-
richt war ich Willi sowieso schuldig. Schade war
bloß, daß ich nicht sehen konnte, wie Old Willi
umfiel. Der fiel bestimmt um. Der kriegte
Krämpfe. Der verdrehte die Augen und fiel vom
Stuhl.

»Könnte ich dieses Wandbild sehen?«
»Leider nicht. Unser Haus steht nicht mehr.
Wir sind jetzt in einem Neubau. Ich hab

Zitat an Willi

zwar ein Bild von Edgar. Aber da ist nichts zu sehen. Es ist ein Schattenriß. Ich sag ja: Er ließ es sich nicht beweisen. Das war einen Tag später. Ich kam zu ihm. Wir wollten ihm ein Honorar zahlen. Dabei kam ich auf den Gedanken, daß er ein Bild von mir machen sollte, diesmal ohne Hilfe. Wir waren ja allein. Was machte er? – Diesen Schattenriß. Das kann schließlich jeder. Aber in seiner Laube hab ich dann seine anderen Bilder gesehen. Ich kann sie nicht beschreiben. Es war nur konfuses Zeug drauf. Das sollte wahrscheinlich abstrakt sein. Aber es war nur konfus, wirklich. Überhaupt sah es furchtbar konfus bei ihm aus. Ich meine: nicht dreckig, aber konfus und schlampig bis dorthinaus.«

Du liegst völlig richtig, Charlie. Konfus und schlampig und alles, was du willst. Erst dachte ich, mich streift ein Bus, Leute, als Charlie da in meiner Bude stand. Zum Glück war es Nachmittag, und ich war schon einigermaßen kregel. Aber das mit dem Geld war mir gleich klar. Von wegen Honorar. Das war Charlies eigenes Geld und außerdem ein Vorwand. Ich ließ ihr irgendwie keine Ruhe.

Ich zierte mich erst mal. Ich sagte: Wofür denn? Ich hab doch keinen Finger krumm gemacht! Und Charlie: Trotzdem! – Ohne Ihre Anleitung wäre es nie geworden.

Da sagte ich ihr auf den Kopf zu: Das ist doch Ihr eigenes Geld. Von wegen Honorar!

Dann fiel ihr ein: Schon. Aber ich krieg's wieder. Muß erst genehmigt werden von oben. Ich dachte, Sie können es brauchen.

Ich hatte zwar noch Geld, aber brauchen konnte ich's schon. Geld kann man immer brauchen, Leute. Ich nahm's trotzdem nicht. Ich begriff doch, was das heißen sollte. Das sollte heißen, sie hielt mich für einen Gammler oder so. Den Gefallen tat ich ihr nicht. Anschließend hätte sie eigentlich gehen müssen. Bloß, so war Charlie nicht. Das war nicht ihre Art. Sie hatte mindestens so einen dicken Schädel wie ich. Oder Kopf. Bei Frauen soll man wohl Kopf sagen.

Außerdem sagte ich ihr die ganze Zeit, daß sie mir ungeheuer was sein konnte. Ich meine, ich sagte es ihr nicht wörtlich. Ich sagte eigentlich überhaupt nichts. Aber sie merkte es doch, denke ich. Und dann kam sie mit ihrer Idee mit dem Bild von ihr. Angeblich bloß so, spaßeshalber. Und das sollte ich glauben! Charlie konnte vielleicht alles, aber als Schauspielerin war sie ganz mies. Das lag ihr nicht. Ich sah drei Sekunden lang ziemlich alt aus, bis ich den Einfall mit der Kerze hatte. Ich setzte Charlie auf einen ollen Hocker, verdunkelte die Bude, pinnte ein Blatt an die Wand und fing an, ihren Kopf ins Licht zu drehen. Ich hätte natürlich auch die olle Kerze rücken können, aber ich war doch nicht blöd. Ich nahm ihr ganzes Kinn in die Hand und drehte ihren Kopf. Charlie schluckte zwar, aber sie machte mit. Ich machte so auf die Masche: der Maler und sein Modell. Angeblich spielt sich da erotisch nichts ab, was ich für großen Quatsch halte. Wahrscheinlich haben das die Maler raus-gehauen, damit ihnen die Modelle nicht weg-laufen. Bei mir jedenfalls spielte sich was ab und bei Charlie mindestens auch. Aber sie hatte keine Chance. Sie nahm bloß ihre Augen nicht weg. Diese Scheinwerfer. Ich war kurz davor, *alles* zu versuchen. Aber ich analysierte mich kurz und stellte fest, daß ich gar nicht *alles* wollte. Ich meine: ich wollte schon, bloß nicht gleich. Ich weiß nicht, ob mich einer versteht, Leute. Zum erstenmal wollte ich warten damit. Außerdem hätte es wahrscheinlich Schellen gegeben. Das be-stimmt. Damals hätte es noch Schellen gegeben. Ich blieb also ganz ruhig und machte diesen Schattenriß von ihr. Als ich fertig war, fing sie sofort an: Geben Sie es mir! Für meinen Verlobten. Er ist zur Zeit bei der Armee.

Wenn jetzt einer denkt, das ging mir besonders an die Nieren oder so mit dem Verlobten, der irrt sich, Leute. Verlobt ist noch lange nicht verheiratet. Auf jeden Fall hatte Charlie begriffen, was gespielt wurde. *Das* war's doch! Sie fing an, mich ernst zu nehmen. Ich kannte das schon. Verlobte tauchen immer dann auf, wenn es ernst wird. Den Schattenriß gab ich ihr natürlich nicht. Ich nuschelte irgendwas von: Ist noch zu roh … Noch kein Leben drin. Als wenn da noch Leben reinzukriegen gewesen wäre. Schon weil ihre Augen nicht drin sein konnten. Und Charlies Augen waren förmlich Scheinwerfer, oder sagte ich das schon? Ich wollte ihn einfach behalten. Ich wollte ihn firnissen und für mich haben. Das brachte Charlie ziemlich auf. Sie stellte sich hin und sagte mir ins Gesicht: Sie können überhaupt nicht malen, jedenfalls nicht richtig. Das ist alles eine Ausrede für irgendwas. Sie sind auch nicht aus Berlin, das merkt man. Eine richtige Arbeit haben Sie nicht, und mit Malen verdienen Sie jedenfalls kein Geld, womit sonst, weiß ich nicht. Sie war in Fahrt gekommen!

Auch ich war nicht faul. Ich dachte kurz nach und schoß folgendes ab:

Es ist ein einförmiges Ding um das Menschengeschlecht. Die meisten verarbeiten den größten Teil der Zeit, um zu leben, und das bißchen, das ihnen von Freiheit übrigbleibt, ängstigt sie so, daß sie alle Mittel aufsuchen, um es loszuwerden.

Charlie sagte gar nichts. Wahrscheinlich hatte sie kein Wort verstanden. Kein Wunder bei diesem Stil. Ich hatte das natürlich aus diesem Buch. Ich weiß nicht, ob ich schon sagte, daß ich mir Sachen aus Büchern hervorragend merken konnte. Das war ein wirkliches Leiden von mir. Es hatte zwar auch seine Vorteile, in der Schule zum Beispiel. Ich meine, jeder Lehrer ist doch zufrieden, wenn er einen Text hört, den er aus dem Buch kennt. Ich konnte es keinem verdenken. Brauchte er nicht nachzuprüfen, ob alles stimmte, wie bei eigenen Worten. Und alle waren zufrieden.

»Irre ich mich, oder haben Sie sich mit ihm gestritten?«

»Gestritten nicht. Ich hab ihm auf den Kopf zugesagt, daß ich ihn für einen Arbeitsscheuen hielt. Ich dachte beinah, er macht irgendwelche krummen Sachen. Irgendwie mußte er doch zu Geld kommen. Entschuldigen Sie! Das war natürlich Unsinn. Aber man konnte wirklich nur schwer schlau werden aus ihm.«

»Und er? Edgar?«

»Edgar machte, was er immer in solchen Fällen machte, nur an dem Tag zum erstenmal für mich: Er redete Blech. Ich kann es nicht anders sagen. Man konnte sich das auch nicht merken. Ein dermaßen krauses Zeug. Vielleicht nicht sinnlos, aber völlig verschroben. Von sich hatte er das nicht. Wahrscheinlich aus der Bibel, denk ich manchmal. Damit wollte er einen einfach verblüffen, das war alles.«

Mit Charlie hätte ich mir diesen Jux vielleicht nicht leisten sollen. Trotzdem, ihr Gesicht war nicht mit Dollars zu bezahlen.

Als nächstes fragte sie mich: Wie alt bist du eigentlich? Du! Sie sagte: du. Das sagte sie seit dem Tag immer, wenn sie mir zu verstehen geben wollte, daß sie eigentlich meine Mutter sein konnte. Dabei war sie höchstens zwei Jahre älter als ich. Ich sagte: Dreitausendsiebenhundertundsiebenundsechzig Jahre, oder waren es -sechsundsiebzig? Ich verwechsle das dieses Jahr immer. Danach ging sie. Ich gebe zu, daß mich diese Frage immer fast gar nicht anstank. Auch bei einer Frau, die mir was sein konnte. Das zwang einen immer zum Lügen. Ich meine, kein Mensch kann was für sein Alter. Und wenn einer geistig weit über die Siebzehn raus ist, ist er doch schön blöd, die Wahrheit zu sagen, wenn er ernst genommen sein will. Wenn du in einen Film willst, der erst ab achtzehn ist, stellst du dich ja auch nicht hin und brüllst: Ich bin erst siebzehn. Übrigens ging ich wohl doch ziemlich oft ins Kino. Das war immer noch besser, als zu Hause mit Mutter Wibeau vor der Röhre hocken.

Das erste, was ich machte, als Charlie weg war: ich lud den Recorder neu und teilte Willi mit:

Nein, ich betrüge mich nicht! Ich lese in ihren schwarzen Augen wahre Teilnehmung an mir und meinem Schicksal. Sie ist mir heilig. Alle Begier schweigt in ihrer Gegenwart. Ende.

Leute! War das ein Krampf! Vor allem das mit der Begier. Das heißt, so ganz blöd war es auch wieder nicht. Ich kam einfach nicht mit dieser Sprache zu Rande. Heilig! Ich war gespannt, was Willi sich dazu einfallen ließ.

Danach war mir sehr nach Musik. Ich schob die Kassette mit den ganzen Aufnahmen von diesem M.S.-Septett rein und fing an mich zu bewegen. Zuerst langsam. Ich wußte, daß ich Zeit hatte. Das Band lief gute fünfzig Minuten. Ich hatte fast alles von diesen Jungs. Sie spielten, daß man kaputtging. Ich konnte nicht besonders gut tanzen, jedenfalls nicht öffentlich. Ich meine: Dreimal so gut wie jeder andere konnte ich es immer noch. Aber richtig warm wurde ich nur in meinen vier Wänden. Draußen störten mich die ewigen Tanzpausen. Man kam langsam in Fahrt – Pause. Das machte mich immer fast gar nicht krank. Diese Musik muß pausenlos gespielt werden, meinethalben mit zwei Bands. Sonst kann sich kein Mensch in seine richtige Form steigern. Die Neger wissen das. Oder Afrikaner. Man soll wohl Afrikaner sagen. Bloß, wo gab es zwei solche Bands wie das M.S.-Septett? Man mußte froh sein, daß es die Jungs überhaupt gab. Vor allem den Orgeler. Meiner Meinung nach konnten sie den nur von einem Priesterseminar haben, ein Ketzer oder so. Ich hatte mir fast den halben Arsch aufgerissen, um alle Aufnahmen von den Jungs aufzutreiben. Die gingen ungeheuer los. Eine Viertelstunde und ich war echt high, das zweitemal in kurzer Zeit. Sonst hatte ich das höchstens einmal im Jahr geschafft. Ich wußte langsam, daß es genau richtig war für mich, nach Berlin zu gehen. Schon wegen Charlie. Leute, war ich high! Ich weiß nicht, ob das einer begreift. Wenn ich gekonnt hätte, hätte ich euch alle eingeladen. Ich hatte für mindestens dreihundertsechzig Minuten Musik in den Kassetten. Ich glaube, ich war echt begabt zum Tanzen. Edgar Wibeau, der große Rhythmiker, gleich groß in Beat und Soul. Ich konnte auch steppen. Ich hatte mir an ein Paar Turnschuhe Steppeisen gebaut. Es war erstaunlich, im Ernst. Und wenn meine Kassetten nicht gereicht hätten, wären wir in den »Eisenbahner« gegangen oder noch besser in die »Große Melodie«, wo die M.S.-Jungs spielten oder SOK oder Petrowski, Old Lenz, je nachdem, wer gerade dran war. Montag war immer fester Tag. Oder denkt vielleicht einer, ich wußte nicht, wo man in Berlin hingehen mußte wegen echter Musik? Nach *einer* Woche wußte ich das. Ich glaube nicht, daß es viele Sachen in Berlin gegeben hat, die ich versäumt habe. Ich war wie in einem Strom von Musik. Vielleicht versteht mich einer. Ich war doch wie ausgehungert, Leute! Schätzungsweise zweihundert Kilometer um Mittenberg rum gab es doch keine anständige Truppe, die Ahnung hatte von Musik. Old Lenz und Uschi Brüning! Wenn die Frau anfing, ging ich immer kaputt. Ich glaube, sie ist nicht schlechter als Ella Fitzgerald oder eine. Sie hätte alles von mir haben können, wenn sie da vorn stand mit ihrer großen

Brille und sich langsam in die Truppe einsang. Wie sie sich mit dem Chef verständigte ohne einen Blick, das konnte nur Seelenwanderung sein. Und wie sie sich mit einem Blick bedankte, wenn er sie einsteigen ließ! Ich hätte jedesmal heulen können. Er hielt sie so lange zurück, bis sie es fast nicht mehr aushalten konnte, und dann ließ er sie einsteigen, und sie bedankte sich durch ein Lächeln, und ich wurde fast nicht wieder. Kann auch sein, es war alles ganz anders mit Lenz. Trotzdem, die »Große Melodie«, das war eine Art Paradies für mich, ein Himmel. Ich glaube nicht, daß ich in der Zeit von viel was anderem gelebt habe als von Musik und Milch.

Anfangs war mein Problem in der »Großen Melodie« bloß, daß ich keine langen Haare hatte. Ich fiel ungeheuer aus dem Rahmen. Als echter Vorbildknabe durfte ich in Mittenberg natürlich keinen Kanten haben und eine Innenrolle schon gar nicht. Ich weiß nicht, ob sich einer vorstellen kann, was das für ein Leiden war. Ich krümmte mich, wenn ich die anderen mit ihren Loden sah, natürlich nur innerlich. Ansonsten behauptete ich, daß mir lange Haare nichts sein konnten, wenn alle welche hatten, weil da kein Mut zu gehörte. Dabei gab es in einer Tour Heckmeck wegen der Haare. Schon bei der Einstellung. Ich weiß nicht, wer das kennt, Leute. Dieses Gesicht, wenn sie einem erklären, daß in der Werkstatt oder wo keine langen Haare getragen werden dürfen, wegen der Sicherheit. Oder eben Kopfschutz, Haarnetz, wie die Frauen, womit einer dann aussieht wie markiert, wie bestraft. Ich glaube, keiner kann sich vorstellen, was das für eine Genugtuung für einen wie Flemming war. Die meisten nahmen natürlich den Kopfschutz, und wenn es ging, nahmen sie ihn ab. Mit dem Erfolg, daß Flemming sofort angetobt kam. Er hätte nichts gegen lange Haare, aber in der Werkstatt....., *leider* ... und so weiter. Wenn ich sein Grinsen sah dabei, wurde mir immer rot vor Augen. Ich weiß nicht, wie man so was nennen muß, wenn Leute wegen langer Haare ewig angestänkert werden. Ich möchte wissen, wem man damit irgendwas zuleide tut? Ich fand Flemming dann immer ungeheuer fies. Vor allem, wenn er dann noch sagte: Seht euch den Edgar an. Der sieht immer proper aus. Proper!

Irgendwer hat mir mal die Geschichte von einem erzählt, auch so einem Musterknaben, Durchschnitt eins und besser, Sohn prachtvoller Eltern, bloß, er fand keine Kumpels. Und in seiner Gegend gab's da so eine Horde, die kippte Parkbänke um, schmiß Scheiben ein und dergleichen

Zeugs. Kein Aas konnte sie erwischen. Der Anführer war ein absolut ausgeschlafener Junge. Aber eines mehr oder weniger schönen Tages klappte es doch. Sie griffen ihn. Der Kerl hatte Haare bis auf die Schultern – typisch! Bloß, es war eine Perücke, und in Wahrheit war er eben jener prachtvolle Musterknabe. An einem Tag hatte es ihm gereicht, und er hatte sich eine Perücke angeschafft.

Anfangs in Berlin dachte ich oft daran, ebenfalls irgendwo eine Perücke aufzureißen, für die »Große Melodie«. Aber erstens liegen Perücken nicht einfach so auf der Straße rum, und zweitens hatte ich einen geradezu teuflischen Haarwuchs. Ob das einer glaubt oder nicht – meine Haare wurden am Tag schätzungsweise zwei Zentimeter länger. Das war lange Zeit ein echtes Leiden von mir. Ich kam gar nicht wieder weg vom Friseur. Aber auf die Art hatte ich nach zwei Wochen schon einen annehmbaren Pilz.

»Sie haben ihn demnach noch öfter gesehen?«

»Das ließ sich nicht vermeiden. Wir waren ja praktisch Nachbarn. Und seit der Sache mit dem Wandbild gingen ihm die Kinder nicht mehr von der Pelle! Was sollte ich dagegen machen? Er konnte mit Kindern umgehen, wie man das bei Männern ganz selten hat, ich meine, bei Jungs. Außerdem glaube ich, daß Kinder genau wissen, wer was für sie übrig hat oder nicht.«

Das stimmt. Charlies Gören war nicht mehr zu helfen. So sind sie. Man darf ihnen nicht den kleinen Finger geben. Ich wußte das. Sie denken wahrscheinlich, das macht einem Spaß. Trotzdem machte ich mit, geduldig wie ein Vieh. Erstens war Charlie der Meinung, ich könnte hervorragend mit Kindern auskommen, eine Art Kindernarr. Die Meinung wollte ich ihr nicht nehmen. Ich und ein Kindernarr! Zweitens waren die Gören meine einzige Chance, an Charlie dranzubleiben. Ich konnte machen, was ich wollte, ich kriegte Charlie nicht wieder auf meine Kolchose und in meine Laube schon gar nicht. Sie wußte, warum, und ich auch. Auf die Art hing ich also Tag für Tag in diesem Auslauf. Ich drehte das Karussell oder was dieses Ding mit den vier Auslegern sein sollte, oder ich mimte den Indianer. Dabei kriegte ich langsam mit, wie man sie sich abwimmeln kann, wenn man will. Wenigstens für zehn Minuten. Ich teilte sie in zwei Parteien und ließ sie sich befehden.

Um die Zeit kam auch die erste Antwort von Willi. Der gute Willi. Das war zuviel für ihn. Das hatte er nicht überstanden. Auf dem Band war folgender Text: Salute, Eddie! So geht es nicht. Gib mir den neuen Code. Welches Buch, welche Seite, welche Zeile. Ende. Was macht Variante drei?

Gib mir den neuen Code! Ich wurde nicht wieder. Das war zuviel für ihn. Es war auch nicht ganz fair von mir, das gebe ich zu. Ansonsten verstanden wir uns aufs Stichwort. Aber das war zuviel. Ein neuer Code. Ich hätte mir in den Hintern beißen können. Wenn wir in Stimmung waren, konnten wir uns zum Beispiel massenweise blöde Sprichwörter an den Kopf werfen: Ja, ja, das Brot hat immer zwei Kanten. – Schon recht. Aber wenn man das Geschirr morgens nicht abtrocknet, ist es noch naß. – Wer dumm ist, braucht noch lange nicht blöd zu sein. – Arbeit macht die Füße trocken. In dem Stil. Aber *das* war zuviel für Old Willi. Leute, seine Stimme hättet ihr hören sollen. Er verstand die Welt nicht mehr. Mit Variante drei meinte er, ob ich arbeite oder so. Er dachte wohl, ich verhungere. Genauso Charlie. Sie fing immer wieder davon an.

Ich hatte nichts gegen Arbeit. Meine Meinung

dazu war: Wenn ich arbeite, dann arbeite ich, und wenn ich gammle, dann gammle ich. Oder stand mir etwa kein Urlaub zu? Aber es soll keiner denken, ich hatte vor, ewig auf meiner Kolchose zu hocken und das. Man denkt vielleicht erst, das geht. Aber jeder einigermaßen intelligente Mensch weiß, wie lange. Bis man blöd wird, Leute. Immer nur die eigene Visage sehen, das macht garantiert blöd auf die Dauer. Das popt dann einfach nicht mehr. Der Jux fehlt und das. Dazu braucht man Kumpels, und dazu braucht man Arbeit. Jedenfalls ich. Bloß so weit war ich noch nicht. Vorläufig popte es noch. Außerdem hatte ich keine Zeit für Arbeit. Ich mußte an Charlie dranbleiben. An Charlie lag mir was, aber das sagte ich wohl schon. In so einem Fall muß man dranbleiben. Ich seh mich noch neben ihr hocken in diesem Auslauf, und die Gören spielten um uns rum. Charlie häkelte. Ein Idyll, Leute. Fehlte bloß noch, daß ich meinen Kopf in ihrem Schoß hatte. Ich hatte da keine Hemmungen, und ich hatte es auch schon einmal geschafft. Das Gefühl am Hinterkopf war nicht schlecht. Im Ernst. Aber seit dem Tag brachte sie Häkelzeug mit und fummelte damit ständig in ihrem Schoß rum. Sie kam nachmittags mit den Gören, setzte sich hin und nahm das

Häkelzeug vor. Ich war dann immer schon da. Charlie hatte eine Art, sich hinzusetzen, die einen halb krank machen konnte. Sie hatte wohl nur weite Röcke, und bevor sie sich hinsetzte, faßte sie jedesmal hinten nach dem Saum, hob ihn an und setzte sich auf ihre Hosen. Sie machte das sehr präzise. Deswegen war ich immer schon da, wenn sie kam. Ich wollte mir das nicht entgehen lassen. Ich sorgte auch dafür, daß die Bank immer trocken war. Ich weiß nicht, ob sie das merkte. Aber daß ich zusah, wenn sie sich hinsetzte, wußte sie genau. Das kann mir keiner erzählen. So sind sie. Sie wissen genau, daß man zusieht, und machen es trotzdem. Eine Schau für sich war auch, wie sie dabei jedesmal ihre Scheinwerfer nach unten hielt. Sonst war es ihre Art, einen immerzu anzusehen. Aber in dem Moment hielt sie ihre Scheinwerfer nach unten. Ich glaube, Charlie hatte einen leichten Silberblick. Deswegen der Eindruck, daß sie einen ständig ansah. Ich weiß nicht, ob einer diese Porträts von Leuten kennt, die an der Wand hängen und einen immerzu ansehen, in welche Ecke man auch geht. Der Trick, den die Maler da haben, ist einfach der, daß sie die Augen so malen, daß die optischen Achsen genau parallel verlaufen, was sie im Leben nie tun. Bekanntlich gibt es keine wirk-

lichen Parallelen. Ich will damit nicht sagen, daß
es mir unangenehm war. Das nicht. Bloß, man
wußte nie, nahm sie einen für voll oder machte
sie sich über einen lustig? Das konnte einen ziemlich krank machen.

Ich sagte wohl schon, daß ich praktisch zum In-
ventar von diesem Kindergarten gehörte. Eine
Art Außen-Hausmeister oder was. Fehlte bloß
noch, daß ich den Zaun anstrich. Dieses Spiel-
zeugreparieren und Karussellschieben gehörte
sowieso schon zum Service. Und Luftballonauf-
blasen. An dem Tag, wahrscheinlich Kinderfest,
hatte ich schon ungefähr zwei hoch sechs Ballons
aufgeblasen, und beim zwei hoch siebenten
wurde mir schwarz vor Augen, und ich kippte
um. Ich kippte glatt um. Ich konnte vier Minuten tauchen, drei Tage hungern oder einen halben Tag keine Musik hören, ich meine: echte
Musik. Aber davon kippte ich um. Als ich wieder
auftauchte, lag ich in Charlies Schoß. Ich begriff
das sofort. Sie hatte mein Hemd aufgemacht und
massierte meine Brust. Ich drückte meine Birne
fest an ihren Bauch und hielt still. Leider bin ich
blödsinnig kitzlig. Ich mußte mich also hinsetzen. Die Gören standen um uns rum. Charlie war
blaß. Fast sofort tobte sie los: Wenn ich Hunger
hätte, würde ich was essen, ja?!

Ich meinte: Kommt bloß vom Aufblasen.

Charlie: Wenn ich nichts zu essen hätte, würde ich mir was kaufen.

Ich grinste. Ich wußte genau, warum sie so tobte. Weil sie ungeheuer froh war, daß ich noch lebte. Jeder einigermaßen intelligente Mensch hätte das gemerkt. Sie fraß mich förmlich auf mit ihren Scheinwerfern, Leute. Ich wurde beinah nicht wieder. Bloß die Gören hätte ich auf den Mond schießen können.

Charlie: Wenn ich kein Geld hätte, würde ich arbeiten gehn.

Ich sagte: Wer nicht ißt, soll auch nicht arbeiten. Ich hielt solche Verdrehungen für ziemlich witzig. Anschließend brachte ich mich hoch, schoß in meine Kolchose, mehr als zwei Schritte waren das nicht, und ruppte den ersten Salatkopf ab, den ich in die Klauen kriegte. Ich sagte wohl noch nicht, daß ich an einem Tag spaßeshalber alle Samentüten, die da noch in Willis Laube rumlagen, im Garten verstreut hatte. Als erstes war Salat gekommen. Salat und Radieschen. Ich fing an, mir den Salat zwischen die Zähne zu schieben. Der Sand knirschte, aber ich wollte nur folgendes loswerden:

Wie wohl ist mir's, daß mein Herz die simple harmlose Wonne des Menschen fühlen kann, der ein Krauthaupt auf seinen Tisch bringt, das er selbst gezogen.

Natürlich hatte ich das von diesem Werther! Ich glaube, ich hatte an dem Tag so viel Charme wie nie.

Charlie sagte bloß: Du Spinner!

Bis dahin hatte sie das noch nie gesagt. Sie war immer auf die Palme gegangen, wenn ich mit diesem Werther kam. Ich wollte sofort meine Chance nutzen und meinen Kopf wieder bei ihr unterbringen, und es hätte garantiert auch geklappt, wenn mir in dem Moment nicht dieses blöde Werther-Heft aus dem Hemd gerutscht wär. Ich hatte mir angewöhnt, es immer im Hemd zu haben, ich wußte eigentlich selbst nicht, warum.

Charlie hatte es sofort in der Hand. Sie blätterte drin, ohne zu lesen. Ich sah ziemlich alt aus. Ich wäre mir reichlich blöd vorgekommen, wenn sie alles mitgekriegt hätte. Sie fragte, was das ist. Ich nuschelte: Klopapier. Eine Sekunde später hatte ich das Ding wieder. Ich steckte es weg. Schätzungsweise zitterte mir leicht die Hand dabei. Seit dem Tag ließ ich es in der Laube, Leute. Danach wollte ich wieder weitermachen mit Charmantsein und dem, bloß da kam die Kindergartenchefin in den Auslauf getobt. Ich dachte erst, sie hat vielleicht was gegen meine geschätzte Anwesenheit. Aber sie sah mich gar nicht. Sie sah nur Charlie an, irgendwie komisch.

Sie sagte: Mach Schluß für heute. Ich mach weiter für dich.

Charlie verstand überhaupt nichts.

Die Chefin: Dieter ist da.

Charlie wurde käseweiß, dann knallrot. Dann sah sie mich wie einen Schwerverbrecher an oder was, und dann fegte sie ab.

Ich sah nicht mehr durch.

Die Chefin erklärte mir: Dieter ist ihr Verlobter.

Er war an dem Tag von der Armee zurück, in Ehren entlassen und das. Fragte ich mich, wieso Charlie das nicht wußte. Das kriegt man doch geschrieben. Dann dachte ich an den Schwerverbrecherblick. *Ich* sollte schuld sein, *ich*, Edgar Wibeau, der Arbeitsscheue, der Halbmaler, der Spinner! An mir sollte es liegen, daß sie ihren Dieter nicht am Bahnhof mit Blumen und alldem empfangen hatte. Ich dachte, mich tritt ein Pferd. Ich glaube, ich sagte schon, daß ich ziemlich viel Charme hatte. Daß ich ankam bei Frauen oder bei weiblichen Wesen. Ich meine jetzt: geistig, oder wie man das nennen soll. Sylvia war fast drei Jahre älter als ich gewesen, aber

71

von wegen Frau? Ich weiß nicht, ob mich einer versteht. Sylvia war weit unter meinem Niveau. Ich hatte deswegen nichts gegen sie, aber sie war weit unter meinem Niveau. Charlie war die erste ernsthafte Frau, mit der ich zu tun hatte. Ich hatte nicht gedacht, daß ich gleich *so* bei ihr losgehen würde. Ich wurde fast nicht wieder, Leute. Ich denke, das kam, weil ich immer an ihr drangeblieben war. Ich spurtete in meine Laube, das heißt, ich wollte. Vorher sah ich noch Dieter. Er war Charlie entgegengekommen. Er war in Schlips und Kragen, hatte einen Koffer, eine von diesen blöden Kollegmappen, ein Luftgewehr in der Hülle und einen Strauß Blumen. Ich schätzte ihn auf fünfundzwanzig, ich meine: diesen Dieter. Demnach mußte er länger gedient haben. Wahrscheinlich hatte er es bis zum General gebracht oder so. Ich wartete, ob sie sich küßten. Ich konnte aber nichts davon sehen.

In der Laube griff ich sofort zum Mikro. Das mußte Old Willi mitkriegen. Eine Sekunde, und ich hatte den passenden Text:

Genug, Wilhelm, der Bräutigam ist da! ... Glücklicherweise war ich nicht beim Empfange! Das hätte mir das Herz zerrissen. Ende.

»Wenn es mit der Malerei nichts gewesen ist, frage ich mich, wovon er denn nun eigentlich gelebt hat.«

»Er hätte höchstens irgendwo den Hilfsarbeiter abgeben können. Aber das hätten wir merken müssen, mein Mann und ich. Das heißt, damals waren wir noch nicht verheiratet. Wir kannten uns schon ziemlich lange, von Kind auf. Er war dann lange bei der Armee gewesen. Ich brachte ihn und Edgar zusammen. Dieter, also mein Mann, war zuletzt Innendienstleiter gewesen. Ich weiß nicht, ob Ihnen das was sagt. Dabei hatte er jedenfalls viel mit Jungs in Edgars Alter zu tun. Ich dachte, er würde auf Edgar vielleicht ein bißchen Einfluß haben. Sie kamen auch ganz gut zusammen aus. Wir waren einmal bei Edgar, und Edgar war gelegentlich bei uns. Aber Edgar war ja nicht zu helfen. Es war ihm einfach nicht zu helfen. Dieter hatte wirklich eine Lammsgeduld mit ihm, vielleicht zu viel, ich weiß nicht. Aber Edgar war eben nicht zu helfen.«

Es stimmt. Sie rückten mir beide auf die Bude. Mit ihrem Dieter zusammen traute sich Charlie wieder in meine Bude. Sie war ein paar Tage nicht im Auslauf gewesen. Ihre Gören ja, sie nicht. Dann tauchte sie mit Dieter bei mir auf. Sie duzte mich. Ich kannte das. Sie wollte Dieter klarmachen, daß sie zu mir stand wie zu einem harmlosen Spinner. Ich nahm sofort die Fäuste hoch. Ich meine, nicht wirklich. Innerlich. Ich sagte wohl noch nicht, daß ich seit vierzehn im Boxklub war. Außer Old Willi war das vielleicht das Beste in Mittenberg. Ich wußte zwar nicht, was Dieter für ein Partner war. Auf den ersten Blick schätzte ich ihn für ziemlich schlapp. Aber ich hatte gelernt, daß man einen Partner nie nach dem ersten Blick einschätzen darf. Bloß, daß er kein Mann für Charlie war, der Meinung war ich sofort. Er hätte ihr Vater sein können, ich meine, nicht altersmäßig. Aber sonst. Er bewegte sich mindestens so würdig wie Bismarck oder einer. Er baute sich vor meinen gesammelten Werken auf. Wahrscheinlich hatte ihn Charlie vor allem deswegen mitgeschleppt. Sie war sich immer noch nicht ganz sicher, ob ich nicht doch ein verkanntes Genie war. Ansonsten hielt sie sich immer dicht neben Dieter. Ich hatte nach wie vor die Fäuste oben. Dieter brauchte ziemlich lange. Ich dachte schon, es kommt gar nichts von ihm. Aber das war so Dieters Art. Ich glaube nicht, daß er irgendein blödes Wort sagte, das er nicht dreimal überlegt hatte, wenn das reicht. Dann legte er los: Ich würde sagen, es könnte ihm nichts schaden, wenn er sich mehr auf das Leben orientieren würde in Zukunft, auf das Leben der Bauarbeiter zum Beispiel. Er hat sie ja hier direkt vor der Tür. Und dann natürlich gibt es hierbei wie überall gewisse Regeln, die er einfach kennen muß: Perspektive, Proportionen, Vordergrund, Hintergrund.

Das war's. Ich sah Charlie an. Ich sah mir den Mann an. Ich hätte laut Scheiße brüllen können. Der Mann meinte das ernst, völlig ernst. Ich dachte erst: Ironie. Aber er meinte das ernst, Leute!

Ich hätte ihn noch eine Weile durch den Ring treiben können, aber ich beschloß, sofort meine schärfste Waffe einzusetzen. Ich überlegte kurz und schoß dann folgendes Ding ab:

Man kann zum Vorteile der Regeln viel sagen, ungefähr was man zum Wohle der bürgerlichen Gesellschaft sagen kann. Ein Mensch, der sich nach ihnen bildet, wird nie etwas Abgeschmacktes und Schlechtes hervorbringen, wie einer, der sich durch Gesetze und Wohlstand modeln läßt, nie ein unerträglicher Nachbar, nie ein merkwürdiger Bösewicht werden kann; dagegen wird aber auch alle Regel, man rede, was man wolle, das wahre Gefühl von Natur und den wahren Ausdruck derselben zerstören!

Dieser Werther hatte sich wirklich nützliche Dinge aus den Fingern gesaugt. Ich sah sofort, daß ich die Fäuste runternehmen konnte. Der Mann hatte nichts mehr zu bestellen. Charlie hatte ihn mindestens auf allerhand vorbereitet, aber *das* war zuviel für ihn. Er tat zwar so, als hätte er es mit einem armen Irren zu tun, den man keinesfalls reizen darf, bloß damit konnte er mich nicht täuschen. Jeder vernünftige Trainer hätte ihn aus dem Kampf genommen. Technischer K. o. Charlie wollte denn auch gehen. Aber Dieter hatte noch was: Andererseits ist es recht originell, was er da macht, und auch dekorativ.

Ich weiß nicht, was er sich dabei dachte. Wahrscheinlich glaubte er, *er* hätte mich ausgeknockt, und wollte mir jetzt die Pille versüßen! Du armer Arsch! Der Mann tat mir leid. Ich ließ ihn gehen. Blöderweise fiel ihm in dem Moment dieser Schattenriß ins Auge, den ich seinerzeit von Charlie gemacht hatte. Charlie sagte sofort: Das sollte für dich sein. Er hat ihn mir bloß nicht gegeben. Angeblich, weil er noch nicht fertig war. Bloß *gemacht* hat er nichts daran seitdem.

Und Dieter: Ich hab dich ja jetzt in natura.
Leute! Das sollte wahrscheinlich charmant sein.
Das war ein Charmebolzen, der liebe Dieter.
Dann zogen sie ab. Charlie hing die ganze Zeit
an seinem Hals. Ich meine, nicht wirklich. Mit
ihren Scheinwerfern. Damit ich es bloß sah. Aber
das lief ab an mir wie Wasser. Nicht daß einer
denkt, ich hatte was gegen Dieter, weil er von
der Armee kam. Ich hatte nichts gegen die Armee. Ich war zwar Pazifist, vor allem, wenn ich
an die unvermeidlichen achtzehn Monate dachte.
Dann war ich ein hervorragender Pazifist. Ich
durfte bloß keine Vietnambilder sehen und das.
Dann wurde mir rot vor Augen. Wenn dann
einer gekommen wäre, hätte ich mich als Soldat
auf Lebenszeit verpflichtet. Im Ernst.
Zu Dieter will ich noch sagen: Wahrscheinlich
war er ganz passabel. Es konnte schließlich nicht
jeder so ein Idiot sein wie ich. Und wahrscheinlich war er sogar genau der richtige Mann für
Charlie. Aber es hatte keinen Zweck, darüber
nachzudenken. Ich kann euch nur raten, Leute,
in so einer Situation nicht darüber nachzudenken.
Wenn man gegen einen Gegner antritt, kann
man nicht darüber nachdenken, was er für ein
sympathischer Junge ist und so. Das führt zu
nichts.

Ich griff nach dem Mikro und teilte Willi den neusten Stand der Dinge mit:

Er will mir wohl, und ich vermute, das ist Lottens Werk …, denn darin sind die Weiber fein und haben recht; wenn sie zwei Verehrer in gutem Vernehmen miteinander erhalten können, ist der Vorteil immer ihr, so selten es auch angeht. Ende.

Langsam gewöhnte ich mich an diesen Werther, aber ich mußte den beiden nach. Ich wußte, daß man dranbleiben muß, Leute. Die erste Runde kann an dich gehen, aber dann am Gegner dranbleiben. Ich wetzte hinter ihnen her und hängte mich einfach mit rein. »Ich bringe euch noch«, in diesem Stil. Charlie hing an Dieters Arm. Den andern gab sie fast sofort mir. Ich wurde beinah nicht wieder. Ich mußte sofort an Old Werther denken. Der Mann wußte Bescheid. Dieter sagte keinen Ton.

Wir landeten auf Dieters Bude. In einem Altbau. Ein Zimmer und Küche. Das war das aufgeräumteste Zimmer, das es überhaupt geben konnte. Mutter Wibeau hätte ihre Freude dran gehabt. Es war ungefähr so gemütlich wie der Wartesaal auf dem Bahnhof Mittenberg. Bloß, der war wenigstens nie aufgeräumt. *Das* konnte ich leiden. Ich weiß nicht, ob das einer kennt, diese Zimmer, die ewig so aussehen, als sind sie nur zwei Tage im Jahr bewohnt und dann vom Chef der Hygieneinspektion. Und das schönste war: Charlie dachte plötzlich genau dasselbe. Sie sagte: Das wird hier alles anders. Laß uns erst mal heiraten, ja?

Ich fing mit einer Art Stubendurchgang an. Zuerst nahm ich mir die Bilder vor, die er hatte. Das eine war ein mieser Druck von Old Goghs Sonnenblumen. Ich hatte nichts gegen Old Gogh und seine Sonnenblumen. Aber wenn ein Bild anfängt, auf jedem blöden Klo rumzuhängen, dann machte mich das immer fast gar nicht krank. Bestenfalls tat es mir dann ekelhaft leid. Meistens konnte ich es für den Rest meines Lebens nicht mehr ausstehen. Das andere war in einem Wechselrahmen. Ich will nichts weiter darüber sagen. Wer es kennt, weiß, welches ich meine. Ein echtes Brechmittel, im Ernst. Dieses prachtvolle Paar da am Strand. Überhaupt: Wechselrahmen. Wenn ich alle Bilder der Welt sehen will, geh ich ins Museum. Oder mir geht ein Bild an die Nieren, dann häng ich es mir dreimal ins Zimmer, damit ich es von überall sehen kann. Wenn ich Wechselrahmen sah, dachte ich immer, die Leute haben sich verpflichtet, im Jahr zwölf Bilder anzusehen.

Plötzlich sagte Charlie: Die Bilder stammen noch aus unserer Schulzeit.

Dabei hatte ich den Mund nicht *einmal* aufgemacht. Ich hatte auch nicht gestöhnt oder die Augen verdreht, nichts. Ich sah mich nach Dieter um. Ich möchte sagen, der Mann stand in seiner Ecke, hatte die Fäuste unten und bewegte sich nicht. Kann sein, er hatte noch nicht begriffen, daß die zweite Runde längst lief. Charlie entschuldigte sich ständig für ihn, und er bewegte sich nicht. Leute, ich wußte jedenfalls, was ich zu tun hatte. Als nächstes nahm ich mir seine Bücher vor. Er hatte die Masse. Alles unter Glas. Alle der Größe nach geordnet. Ich sackte zusammen. Immer wenn ich so was sah, sackte ich zusammen. Meine Meinung zu Büchern hab ich wohl schon gesagt. Ich weiß nicht, was er alles hatte. Garantiert alle diese guten Bücher. Reihenweise Marx, Engels, Lenin. Ich hatte nichts gegen Lenin und die. Ich hatte auch nichts gegen den Kommunismus und das, die Abschaffung der Ausbeutung auf der ganzen Welt. Dagegen war ich nicht. Aber gegen alles andere. Daß man Bücher nach der Größe ordnet zum Beispiel. Den meisten von uns geht es so. Sie haben nichts gegen den Kommunismus. Kein einigermaßen intelligenter Mensch kann heute was gegen den Kommunismus haben. Aber ansonsten sind sie dagegen. Zum Dafürsein gehört kein Mut. Mutig will aber jeder sein. Folglich ist er dagegen. Das ist es.

Charlie sagte: Dieter wird Germanistik studieren. Er hat eine Menge aufzuholen. Andere, die nicht so lange bei der Armee waren, sind längst Dozenten heute.

Ich sah Dieter an. Spätestens jetzt wäre ich an seiner Stelle losgegangen. Aber er hatte immer noch die Fäuste unten. Eine hervorragende Situation. Langsam begriff ich, daß es zu einem ungeheuren Bums kommen mußte, wenn ich so weitermachte und wenn Charlie nicht aufhörte, sich für ihn zu entschuldigen.

Das einzige in dem ganzen Zimmer war noch Dieters Luftgewehr, ein Knicklauf. Er hatte es über das Bett gehängt. Ich holte es lässig runter, ohne zu fragen, und fing an damit rumzufummeln. Ich hielt die Spritze auf dieses Paar am Strand, auf Dieter, auf Charlie. Bei Charlie kam Dieter endlich in Bewegung. Er drehte mir den Lauf weg.

Ich fragte: Geladen?

Und Dieter: Trotzdem. Ist schon zu viel vorgekommen.

Solche Opa-Sprüche brachten mich immer fast gar nicht um. Trotzdem sagte ich nichts. Ich hielt mir bloß den Lauf an die Schläfe und drückte ab. Das brachte ihn endlich aus der Reserve: Das Ding ist kein Spielzeug! *Soviel* Grips wirst du doch haben!

Dabei riß er mir die Flinte aus der Hand.

Ich ließ sofort meine schärfste Waffe sprechen, Old Werther:

Mein Freund ..., der Mensch ist Mensch, und das bißchen Verstand, das einer haben mag, kommt wenig oder nicht in Anschlag, wenn Leidenschaft wütet und die Grenzen der Menschheit einen drängen. Vielmehr – Ein andermal davon.

Die Grenzen der Menschheit, unter dem machte es Old Werther nicht. Aber ich hatte Dieter voll getroffen. Er machte den Fehler, darüber nachzudenken. Charlie hörte gar nicht mehr hin. Aber Dieter machte den Fehler nachzudenken. Ich konnte an sich gehen. Da fing Charlie an: Ich mach uns noch was zu schnabulieren, ja?

Und Dieter: Von mir aus! Aber ich hab zu tun. Er war in Fahrt. Er pflanzte sich hinter seinen Schreibtisch. Mit dem Rücken zu uns.

Charlie: Er hat in drei Tagen Aufnahmeprüfung.

Charlie hatte wohl einen schlechten Tag. Sie konnte es nicht lassen. Ich stand immer noch rum.

In dem Moment ging Dieter in die Luft. Er sagte eisig: Kannst ihm ja *unterwegs* noch was von mir erzählen.

Charlie wurde bleich. Das war ein glatter Rauswurf für uns beide. Ich hatte sie in eine herrliche Lage gebracht, ich Idiot freute mich noch. Charlie war bleich, und ich Idiot stand da und freute mich noch. Dann ging ich. Charlie kam mir nach. Auf der Straße kriegte ich es fertig, den Arm um ihre Schultern zu legen.

Charlie boxte mir sofort in die Rippen und fauchte mich an: Bist du noch normal, ja?

Dann rannte sie weg. Sie rannte weg, aber ich kam in eine völlig verrückte Stimmung. Ich begriff zwar langsam, daß ich bei Charlie vorläufig nichts zu bestellen hatte. Trotzdem war ich irgendwie echt high. Jedenfalls stand ich plötzlich vor meiner Laube und hatte ein Band von Old Willi in den Pfoten. Folglich mußte ich auf der Post gewesen sein. Ich weiß nicht, ob einer so was kennt, Leute.

Lieber Edgar. Ich weiß nicht, wo du bist. Aber wenn du jetzt zurückkommen willst, der Schlüssel liegt unter dem Fußabtreter. Ich werde dich nichts fragen. Und ab jetzt kannst du nach Hause kommen, wann du willst. Und wenn du deine Lehre in einem anderen Betrieb fertig machen willst, auch. Hauptsache, du arbeitest und gammelst nicht.

Ich dachte, mich tritt ein Pferd. Das war Mutter Wibeau.

Dann kam Willi: Salute, Eddie. Ich hab deine Mutter einfach nicht abwimmeln *können*. Tut mir leid. Sie ist ganz schön am Boden. Sie wollte mir sogar Geld geben für dich. Vielleicht ist der Gedanke mit dem Arbeiten gar nicht so schlecht. Denk mal an van Gogh oder einen. Was die alles machen mußten, um malen zu können. Ende.

Ich hörte mir das an. Ich wußte sofort, was von Old Werther darauf paßte:

Das war eine Nacht! Wilhelm! nun überstehe ich alles. Ich werde sie nicht wiedersehn! ... Hie sitz ich und schnappe nach Luft, suche mich zu beruhigen, erwarte den Morgen, und mit Sonnenaufgang sind die Pferde ...

Länger war das Band blöderweise nicht, und ich hatte keinen Nachschub mehr. Ich hätte ein Stück Musik löschen müssen, aber das wollte ich nicht. Aus der Bude gehen und neues Band ranschaffen wollte ich auch nicht. Ich analysierte mich kurz und begriff, daß die ganze Kolchose und das nicht mehr popte. Ich dachte nicht daran, zurück nach Mittenberg zu gehen, das nicht. Aber es popte einfach nicht mehr.

»Aber irgendwann muß Edgar dann doch angefangen haben zu arbeiten, beim Bau. Beim WIK.«

»Ja, sicher. Ich hab ihn dann einfach aus den Augen verloren. Ich hatte genug eigene Dinge. Die Hochzeit. Dann fing Dieter an zu studieren. Germanistik. Es fiel ihm nicht ganz leicht zu Anfang. Ich arbeitete nur noch halbtags, um ihm den Start zu erleichtern. Dann zogen wir mit dem Kindergarten in den Neubau um, das alte Haus kam weg, wegen der Neubauten, auch der Auslauf neben Edgars Grundstück. Wir hätten einfach zur Polizei gehen sollen. Da wohnt einer unerlaubt in einer Laube. Ich weiß nicht, ob ihm das geholfen hätte. Jedenfalls wäre es dann nicht passiert.«

»Darf ich Sie etwas fragen? – Haben Sie Edgar gemocht?«

»Wie gemocht? Edgar war noch nicht achtzehn, ich war über zwanzig. Ich hatte Dieter. Das war alles. Was denken Sie?«

Richtig, Charlie, nicht alles sagen. Es hat keinen Zweck, alles zu sagen. Ich hab das mein Leben lang nicht gemacht. Nicht mal dir hab ich alles gesagt, Charlie. Man kann auch nicht alles sagen. Wer alles sagt, ist vielleicht kein Mensch mehr.

> »Sie müssen mir nicht antworten.«
> »Gemocht hab ich ihn natürlich. Er konnte sehr komisch sein. Rührend. Er war immerzu in Bewegung . . . ich . . .«

Heul nicht, Charlie. Tu mir den Gefallen und heul nicht. Mit mir war nicht die Bohne was los. Ich war bloß irgend so ein Idiot, ein Spinner, ein Angeber und all das. Nichts zum Heulen. Im Ernst.

> »Guten Tag! Ich soll mich an Kollegen Berliner wenden.«
> »Ja. Das bin ich.«
> »Wibeau ist mein Name.«
> »Haben Sie was mit Edgar zu tun? Edgar Wibeau, der bei uns war?«
> »Ja. Der Vater.«

Addi! Alte Streberleiche! Ich grüße dich! Du warst von Anfang an mein bester Feind. Ich hab dich getriezt, wo ich konnte, und du hast mich geschuriegelt, wenn es irgendwie ging. Aber jetzt, wo alles vorbei ist, kann ich es rauslassen: Du warst ein Steher! Unsere unsterblichen Seelen

waren verwandt. Bloß deine Gehirnwindungen
waren rechtwinkliger als meine.

»Das war eine tragische Sache mit Edgar.
Erst waren wir ziemlich am Boden. Heute
ist uns vieles klarer. Edgar war ein wertvoller Mensch.«

Addi, du enttäuschst mich, und ich dachte, du
bist ein Steher. Ich dachte, du machst das nicht
mit, über einen, der über den Jordan gegangen
ist, diesen Mist zu reden. Ich und ein wertvoller
Mensch. Schiller und Goethe und die, das waren
vielleicht wertvolle Menschen. Oder Zaremba.
Es hat mich sowieso zeitlebens immer fast gar
nicht getötet, wenn sie über einen Abgegangenen
dieses Zeug redeten, was er für ein wertvoller
Mensch war und so. Ich möchte wissen, wer das
aufgebracht hat.

»Wir haben Edgar leider von Anfang an
falsch angefaßt, einwandfrei. Wir haben ihn
unterschätzt, vor allem ich als Brigadelei-
ter. Ich hab in ihm von Anfang an nur den
Angeber gesehen, den Nichtskönner, der
nur auf unsere Knochen Geld verdienen
wollte.«

Klar wollte ich Geld verdienen! Wenn einer keine Tonbänder mehr kaufen kann, muß er Geld verdienen. Und wo geht er in diesem Fall hin? Zum Bau. Motto: Wer nichts will und wer nichts kann, geht zum Bau oder zur Bahn. Bahn war mir zu gefährlich. Da hätten sie garantiert nach Ausweis und Aufenthaltsgenehmigung gefragt und dem Käse. Also Bau. Auf dem Bau nehmen sie jeden. Das wußte ich. Sauer war ich bloß, als ich zu Addi und Zaremba und der Truppe reinkam, sie renovierten olle Berliner Wohnungen, immer gleich hausweise, und Addi sagte sofort: »Morgen«, sagt man, wenn man reinkommt!

Den Typ kannte ich. Frag so einen mal nach Salinger oder einem. Da kommt garantiert nichts. Da denkt er, das ist ein Fachbuch, das ihm entgangen ist.

Vielleicht wär alles anders gekommen, wenn Addi an dem Tag blaugemacht hätte oder was. Auf *die* Art war ich natürlich gleich kontra. Kann auch sein, daß meine Nerven nicht die besten waren zu der Zeit, wegen der Sache mit Charlie. Es ging mir doch mehr an die Nieren als ich gedacht hatte.

Das nächste, was Addi machte, war, daß er mir eine von diesen Malerrollen hinhielt und mich fragte, ob ich so was schon mal in der Hand gehabt habe. Jeder Pionier kennt diese Dinger. Folglich verweigerte ich glatt die Aussage. Danach hielt er mir einen Pinsel hin und schickte mich zu Zaremba. Fenster vorstreichen. Alle glotzten natürlich, wie ich mich anstellen würde. Aber mir wurde sofort besser, als ich Zaremba sah. Sozusagen Liebe auf den ersten Blick. Ich sah sofort, der Alte war ein Vieh. Zaremba war über siebzig. Er konnte längst auf Rente sein, aber er rackerte hier noch rum. Und nicht etwa als Lückenbüßer. Er konnte sich eine Bockleiter zwischen die Beine klemmen und damit regelrecht durch die Stube tanzen und wurde nicht die Bohne naß dabei. Abgesehen davon, daß er sowieso nur aus Haut, Knochen und Muskeln bestand. Wo sollte da Wasser herkommen. Einer seiner Tricks war, sich von jemand ein offenes Taschenmesser auf den Bizeps fallen zu lassen. Es sprang weg wie aus Gummi. Oder er spielte den Glöckner von Notre-Dame. Dazu nahm er ein Auge raus, er hatte ein Glasauge, knickte in der Hüfte ein und wankte durch die Gegend. Wir lagen regelmäßig am Boden. Das Glasauge hatte er sich in Spanien eingehandelt. Das heißt: Gemacht hatte es ihm einer in Philadelphia. Außerdem fehlten ihm noch ein Stück von einem kleinen Finger und zwei Rippen. Dafür hatte er noch alle Zähne und beide Arme und die Brust voll Tätowierungen. Aber nicht diese dicken Weiber und Herzen und das und Anker. Das wimmelte bloß so von Fahnen, Sternen und Hammer und Sichel, da war sogar ein Stück Kremlmauer. An sich war er wohl aus Böhmen oder so. Aber das schönste war, daß er es noch mit Frauen hatte. Ich weiß nicht, ob das einer glaubt, es war aber Tatsache. Zaremba betreute unseren Bauwagen. Er machte da sauber und hatte immer den Schlüssel. Es war ein ziemlich schmuckes Fahrzeug. Mit zwei Kojen und allem Drum und Dran. Einmal, es war schon dunkel, schlich ich mich da ran. Ich wußte bis dahin gar nichts, sondern ich hatte aus einem ganz bestimmten Grund etwas unter dem Wagen zu machen. Da hörte ich deutlich, wie er eine Frau am Wickel hatte. Ihrem Lachen nach muß sie sehr nett gewesen sein. Es soll aber keiner denken, ich wäre Zaremba wegen alledem gleich um den Hals gefallen. Das nun nicht. Schon nicht, weil er mich als erstes fragte, ob ich mit der Gewerkschaft auf dem laufenden wäre. Er war Kassierer. Das tötete mich immer fast gar nicht. Wenn es nicht Zaremba gewesen wäre, hätte ich sofort kehrtgemacht. So hielt ich ihm kurz mein Buch

hin. Er nahm es mir weg und fing an es durch-
zuschnüffeln. Wahrscheinlich wollte er nur Bescheid wissen über mich. Natürlich hatte ich in
Berlin nicht bezahlt. Sofort hatte er seine komi-
sche Blechschachtel draußen, und ich sollte nach-
zahlen. Kunststück, wenn einer nicht mal Tonbänder kaufen kann. Wahrscheinlich wollte er
das nur wissen.
Dann fing ich also an, freiweg eins von diesen
Fenstern vorzustreichen. Die Farbe lief nur so
über das Glas. Ich hatte zu Hause x-mal die Fenster gestrichen, aber ich brachte es einfach nicht
anders fertig. Hätten sie nicht so geglotzt, wie
ich mich anstelle, hätte ich das sauberste Fenster
hingelegt. Nicht so sauber wie Zaremba. Zaremba malte wie eine Maschine. Aber so sauber
wie irgendein anderer von ihnen immer noch,
einschließlich Addi. Addi wurde sichtlich nervös.
Er ging bloß deshalb nicht gleich in die Luft,
weil ja Zaremba neben mir war. Daß ich Zaremba nicht aus der Ruhe bringen würde, war
mir ziemlich schnell klar. Er sah mich gar nicht.
Jedenfalls hielt es Addi nicht mehr aus und
keifte los: Ich würde das ganze Fenster zu-
schmieren!
Was ich machte, ist wohl klar. Ich fing an, das
ganze Fenster zuzuschmieren. Ich dachte, Addi

fällt von der Leiter. Aber dann fiel *ich* fast von der Leiter, wenn ich auf einer gewesen wäre. Direkt neben mir fing Zaremba plötzlich an zu singen! Ich dachte, mich tritt ein Pferd und streift ein Bus und alles zusammen. Zaremba dröhnte, und die anderen machten fast sofort mit, und zwar nicht irgendeinen Schlager oder was, sondern eins von diesen Liedern, von denen man immer nur die erste Strophe kennt. Aber diese Truppe dröhnte den ganzen Song runter. Ich glaube: Auf, Sozialisten, schließt die Reihen. Die Trommel ruft, die Fahnen wehn ...

Das war eine Truppe, Leute! Auf, Sozialisten! Mir fiel fast der Pinsel aus den Pfoten. Das war so Zarembas Methode, wenn der liebe Addi in die Luft gehen wollte. Das stellte sich bei der nächsten Gelegenheit heraus. Es war in irgendeiner ollen Küche. Die Wand war da ziemlich rissig, und ich sollte sie ausgipsen. Sagte Addi: Gelegentlich mit Gips zu tun gehabt? – Dann sieh dir mal die Wand an.

In diesem Stil.

Ich fing also an, in irgendeinem Eimer Gips anzurühren. Ich weiß nicht, wer das kennt, Leute. Ich nahm jedenfalls zeitlebens immer erst zuviel Wasser, dann zuviel Gips und so weiter. Auf diese Art wurde langsam der Eimer voll, und ich hätte schon ein As sein müssen, wenn das Zeug nicht hart werden sollte. Ich sah schon ziemlich alt aus, da kam die Rettung. Addi verlor die Nerven. Er fauchte: Ich würde den *ganzen* Eimer voll machen.

Was Besseres fiel ihm nicht ein. Ich parierte natürlich aufs Wort und kippte den ganzen Gips in den Eimer. Fast in derselben Sekunde fing Zaremba zu singen an. Er konnte uns gar nicht sehen aus dem Klo oder wo er gerade steckte. Aber er mußte es wohl gerochen haben, was los war. Es war wieder so eine Schote, diesmal mit Partisanen, und wieder zog die ganze Truppe mit. Er hatte sie gut im Griff. Addi riß sich fast sofort zusammen und schickte mich in eins der Zimmer, den Boden fegen, wegen Vorstreichen. Ich an seiner Stelle hätte mir wahrscheinlich den ganzen ollen Eimer mit dem Gips über die Bonje gekippt. Aber Addi riß sich zusammen. Da ging mir das Licht auf, was es mit dem Gesinge auf sich hatte. Ich schob ab. Ich war bloß gespannt, was Zaremba machen würde, wenn ich ihm selber so kam. Ob er da auch singen würde. Vorher hörte ich noch, wie Zaremba zu Addi in die Küche tobte und ihn anknurrte: Mußt ruhiger werden, Kerl. Viel ruhiger. No?

Und Addi: Sag mir mal, was der bei uns will?

Der will doch bloß auf unsere Knochen Geld verdienen, einwandfrei. Die Flasche, die.

Und Zaremba machte: No ... Flasche?!

Ich sagte wohl schon, daß Zaremba aus Böhmen war. Deswegen wohl dieses »no«. Er brachte es in jedem Satz mindestens dreimal unter. Der Mann konnte mit diesem »no« mehr sagen als andere in ganzen Romanen. Sagte er: No? und legte dabei den Kopf schräg, hieß das: Darüber denk noch mal nach, Kollege! Machte er: No?! und zog dabei seine Filzbrauen hoch, hieß das: Das sag nicht noch mal, Kumpel! Kniff er dabei seine Schweinsritzen zu, wußten alle, jetzt bringt er gleich den Glöckner von Notre-Dame. Ich weiß nicht, ob es stimmt. Irgendeiner hatte mir erzählt, Zaremba soll gleich nach fünfundvierzig für drei Wochen Oberster Richter oder so von Berlin gewesen sein. Er soll ganz ulkige und ganz scharfe Urteile gefällt haben.

No? Herr Angeklagter, Sie waren also schon immer ein großer Freund der Kommunisten, herich?! In dem Stil. »Herich«, das war auch so ein Wort von ihm. Ich brauchte ewig, bis ich kapiert hatte, daß »herich« »hör ich« heißt. Zaremba war schon ein Vieh.

Ich weiß nicht, ob er genug vom Singen hatte oder ob er einsah, daß ich und Addi nicht zurechtkamen. Jedenfalls fing *er* an, mir die Aufträge zu geben. Das erste war, daß ich in irgendeinem ollen Klo das Paneel oder vielmehr das, was über dem Paneel kommt, tünchen sollte und die Decke. Er ließ mich allein dabei, und ich mixte mir die schönste blaue Soße und fing an, mit der Rolle die Wände und die Decke zu verzieren, und zwar auf diese Pop-art. Am Ende sah das aus wie eine Serie von Entwürfen für Autobahnschleifen. Und das alles schön blau. Ich war noch gar nicht ganz fertig, da stand Zaremba da und der Rest der Truppe hinter ihm. Sie waren wahrscheinlich höllisch gespannt, was er jetzt mit mir anstellen würde, vor allem Addi. Aber er machte bloß: No?!

Das war wohl das längste »no«, was ich je von ihm gehört habe. Außerdem legte er dabei noch den Kopf schräg, zog die Filzbrauen hoch und kniff seine Schweinsritzen zu. Ich hätte mich beölen können. Ich bin heute noch stolz auf diese neue »no«-Variante.

»Klar, er benahm sich komisch. Einwandfrei. Aber ebendas hätte uns stutzig machen müssen, vor allem mich. Statt dessen jagte ich ihn weg, daran konnte auch Zaremba nichts ändern. Zaremba war vielleicht der einzige von uns, der ahnte, was in Edgar steckte. Aber ich war wie vernagelt. Es ging um unser NFG, nebelloses Farbspritzgerät. Wir hatten schon mehrere Sachen gebaut, aber das sollte unsere größte werden. Ein Gerät, das Farben jeder Art versprüht, ohne daß dieser unverträgliche Farbnebel entsteht, der bis jetzt noch bei jedem Gerät dieser Art auftritt. Das wäre eine einmalige Sache gewesen, sogar auf dem Weltmarkt. Leider waren wir damals ins Stocken gekommen damit. Nicht mal Experten, die wir schließlich ranholten, kamen damit weiter. Und in dieser Situation stellte sich Edgar hin und machte Bemerkungen. Da platzte mir leider der Kragen. Ich will mich nicht entschuldigen. Ich war einfach nicht voll da.«

Jetzt tu mir einen Gefallen, Addi, und halt endlich die Luft an damit. Was in mir steckte, kann ich dir genau sagen: nichts. Und in Sachen NFG überhaupt nichts. Deine Idee mit der Druckluft und der Hohldüse war nichts, und meine Idee mit der Hydraulik war auch nichts. Also wozu das Geplärre. Ich gebe zu, daß ich mir von der Hydraulik allerhand versprochen hatte, eigentlich von Anfang an, kaum daß ich das Ding ge-

sehen hatte. Es lag da unter unserem Salonwagen rum. Ich war schon mindestens dreimal
darüber gestolpert und hatte es auch schon be-
schnarcht. Aber ich hätte mir doch lieber sonstwas abgebissen, als einen danach zu fragen, was
das für ein Apparat war und so. Schon gar nicht
Addi. Bis dann eines Tages Zaremba selber den
Mund aufmachte. Ich glaube, dieser Hund sah
durch mich durch wie durch Glas.

Hast du noch nicht gesehen, no? Kannst du auch
nicht. Ist einmalig. Diese Farbspritze versprüht
Farben jeder Art auf der Erde, im Wasser und
in der Luft, schafft wie drei Maler am Tag in drei
Stunden, no, arbeitet *ohne* diesen Farbnebel und
ist damit allen vergleichbaren Sachen auf dem
Weltmarkt überlegen, selbst amerikanischen,
herich. – Wenn sie erst funktioniert, verstehst,
no?

Anschließend wischte er ein bißchen Staub auf
dem Ding und seufzte eine Weile rum. Dann
sagte er noch: Es ist nicht unsere erste Erfindung,
aber unsere beste, no.

Es sah so aus, als wollte er damit Addi und die
Truppe anpieken, die natürlich längst dastan-
den. Das Ding lag wohl schon eine Weile rum.
Es funktionierte nämlich keineswegs, es nebelte
und nebelte, weiter nichts.

Ich sagte: Die Maschine wird ihn nie ersetzen.
Dabei hielt ich meinen Pinsel hoch. Ich durfte gerade mal wieder vorstreichen.

Sofort ging Addi los: Hör mal zu, mein Freund. Alles schön und gut. Ich weiß nicht, was du fürn Spleen hast, aber irgendeinen hast du. Einwandfrei. Interessiert mich nicht. Aber wir sind hier eine Truppe und keine ganz schlechte, und du gehörst nun mal dazu, und es wird dir auf die Dauer nicht viel übrigbleiben, als dich einzufügen und mitzuziehen. Und glaub nicht, du wärst unser erster Fall. Wir haben schon ganz andere hingebogen. Frag Jonas. – Jedenfalls, der muß erst noch kommen, der uns auf den Durchschnitt zieht.

Das war's mal wieder. Er machte auf den Hacken kehrt und zog ab, die anderen ihm nach. Ich verstand bloß die Hälfte. Der Spruch mit der Maschine war schließlich ziemlich harmlos. Ich hatte noch ganz andere Sachen auf der Pfanne. Old Werther zum Beispiel. Ich analysierte kurz die Lage und stellte fest, daß ich Addis schwächsten Punkt erwischt hatte mit der Spritze.

Zaremba sagte denn auch: Mußt ihn verstehen, no. Ist sein Einfall, die Spritze. Jesus, nicht dran rühren. Entweder es wird der Knüller oder *der* Reinfall, no? – Sein erster!

Und ich:

Er ist der pünktlichste Narr, den es nur geben kann; Schritt vor Schritt und umständlich wie eine Base, ein Mensch, der nie mit sich selbst zufrieden ist und dem es daher niemand zu Danke machen kann.

Das war endlich mal wieder Old Werther. Zaremba riß seine Schweinsritzen auf und knurrte: No! Das sag du nicht!

Er war der erste, den dieses Althochdeutsch nicht aus dem Sattel warf. Es hätte mir auch leid getan. Ich gebe allerdings zu, ich hatte für ihn eine ziemlich normale Stelle ausgesucht. Ich weiß nicht, ob das einer versteht, Leute. Ein paar Tage später kam es dann zum Treffen. Addi und die Truppe baute die Spritze auf dem Hof von einem dieser ollen Häuser auf und schloß sie an. Zwei Experten waren aus irgendeiner Spezialbude gekommen mit einem ganzen Kasten voller Düsen, jede anders. Die sollten nun durchprobiert werden. Große Show. Alles mögliche Volk robbte an. Die ganzen Töpfer und Maurer und was sonst noch in den Häusern rumkroch. Es klappte mit keiner Düse. Entweder es kam ein armdicker Strahl raus, oder es nebelte wie ein Rasensprenger. Die Experten waren von vornherein nicht besonders optimistisch, rückten aber jede Düse raus. Addi ließ einfach nicht locker. Er war ein Steher. Bis er dann zum kleinsten Kaliber griff, und dafür war dann einfach der Druck zu groß. Der olle Schlauch platzte, und wer im Umkreis von zehn Metern stand, war gelb wie ein Chinese oder was. Vor allem Addi. Der Heiterkeitserfolg war einmalig bei dem ganzen Volk.

Die Experten meinten: Laßt man. Uns ist das nicht besser gegangen, und wir haben alles! Nichts zu machen! Technisch nicht lösbar, jedenfalls heute noch nicht. Das liegt nicht an den Düsen.

Und dann kam ich und zückte meine Werther-Pistole:

Es ist ein einförmiges Ding um das Menschengeschlecht. Die meisten verarbeiten den größten Teil der Zeit, um zu leben, und das bißchen, das ihnen von Freiheit übrigbleibt, ängstigt sie so, daß sie alle Mittel aufsuchen, um es loszuwerden.

Die Experten dachten wohl, ich war der Clown der Truppe. Sie grinsten jedenfalls. Aber die Truppe selbst kam langsam auf mich zu, vorneweg Addi. Sie wischten sich immer noch die gelbe Soße aus den Gesichtern. Ich nahm die Fäuste hoch, im Fall der Fälle, aber es kam doch zu nichts. Addi fauchte bloß kalt: Hau ab! Hau bloß ab, sonst garantier ich für nichts.

Ich konnte sein Gesicht nicht richtig erkennen. Ich hatte selbst noch das Farbzeug in den Augen. Aber es hörte sich ganz so an, als wenn er kurz vorm Heulen war. Addi war über zwanzig. Ich wußte nicht, wann ich das letztemal geheult hatte. Es war jedenfalls eine Weile her. Vielleicht haute ich deswegen tatsächlich sofort ab. Kann sein, ich hatte den Bogen überspannt oder was. Ich hoffe, es hält mich deswegen keiner für feige, Leute. Als Boxer darf man sich ja sowieso nicht richtig wehren. Trifft man dumm, heißt es gleich: Sperre. Außerdem war da Zaremba, und der gab mir zu verstehen: Mach dich weg. Es ist das beste im Moment! Das war das vorläufige Ende meines Gastspiels als Anstreicher bei Addi und Genossen.

Es war übrigens ein Sauwetter an dem Tag. Ich hechtete mich auf meine Kolchose. Als erstes diktierte ich für Old Willi auf das neue Band:

Und daran seid ihr alle schuld, die ihr mich in das Joch geschwatzt und mir so viel von Aktivität vorgesungen habt. Aktivität! ... Ich habe meine Entlassung ... verlangt ... Bringe das meiner Mutter in einem Säftchen bei. Ende.

Ich fand, das paßte großartig.

»Ich hab ihn einfach gefeuert! Nicht, daß wir uns abkapseln wollten. Jonas zum Beispiel kam aus dem Bau zu uns. Aber bei uns sammelt sich sowieso allerhand Volk, das nichts kann und meistens auch nichts will. Es ist nicht leicht, eine Truppe zusammenzukriegen, mit der man einigermaßen was anfangen kann.«

»Sie brauchen sich doch nicht zu entschuldigen! Edgar war vielleicht bloß ein Spinner und ein Querkopf, ewig vergnatzt, unfähig, sich einzufügen, und faul, was weiß ich ...«

»Na, sachte! Vergnatzt war er eigentlich nie, jedenfalls bei uns nicht. Und ein Querkopf ...? Aber Sie müssen ihn besser kennen.«

»Wie denn kennen? Ich hab ihn seit seinem fünften Lebensjahr nicht gesehen!«

»Ja, das wußte ich nicht. – Das heißt, Moment! Edgar hat Sie besucht. Er war doch bei Ihnen!«

Halt die Fresse, Addi!

»Er hat noch geschwärmt. Sie haben eine Atelierwohnung, nach Norden raus, alles voller Bilder, herrlich vergammelt.«

Halt doch die Fresse, Addi!

>>Entschuldigen Sie. Ich hab es nicht von
Edgar – von Zaremba.<<
>>Wann soll denn das gewesen sein?<<
>>Das muß gewesen sein, nachdem wir ihn
gefeuert hatten, Ende Oktober.<<
>>Bei mir war niemand.<<

Es stimmt aber leider. Ich weiß auch nicht, warum ich da hinging, aber es ist Tatsache. Er
wohnte in einem dieser prachtvollen Kachelwürmer, von denen Berlin langsam voll ist. Ich
wußte seine Adresse. Aber ich wußte nicht, daß
es einer dieser prachtvollen Kachelwürmer war.
Er hatte da ein Appartement. Und nach Norden
raus stimmt auch. Ich weiß nicht, ob einer glaubt,
daß ich so blöd war, mich gleich vorzustellen.
Guten Tag, Papa, ich bin Edgar, in dem Stil. So
nicht. Ich hatte meine Bauklamotten an. Ich
sagte einfach: die Heizungsmonteure, als er aufmachte. Er war nicht besonders erbaut davon,
aber er nahm es mir sofort ab. Ich weiß nicht,
was ich gemacht hätte, wenn er es mir nicht ab-
genommen hätte. Irgendeinen Plan hatte ich
nicht, aber ich war mir ziemlich sicher, daß es
klappen würde. Eine blaue Hose, und du bist

der Heizungsmonteur. Eine olle Jacke, und du bist der neue Hausmeister. Eine Ledertasche, und du bist der Mann vom Fernmeldeamt und so weiter. Sie nehmen dir alles ab, und man kann es ihnen nicht mal übelnehmen. Man muß es bloß wissen. Außerdem hatte ich noch einen Hammer bei mir. Mit dem pingelte ich eine Weile an dem Heizungskörper im Bad rum. Er stand in der Tür und sah zu. Ich sagte nichts. Ich brauchte einfach Zeit, um mich an ihn zu gewöhnen. Ich weiß nicht, ob das einer begreift, Leute. Wissen, man hat einen Vater, und ihn dann sehen, das ist *überhaupt* nicht dasselbe. Er sah aus wie dreißig oder so. Das warf mich fast völlig um. Ich hatte doch keine Ahnung davon. Ich dachte doch immer, daß er mindestens fünfzig war! Ich weiß auch nicht, warum. Er stand da in der Tür in Bademantel und in nagelneuen Jeans. Ich sah das sofort. Um die Zeit gab es in Berlin nämlich plötzlich echte Jeans. Keine Ahnung, warum. Aber es gab sie. Es war mal wieder kurz vor irgendwas. Es sprach sich natürlich sofort rum, jedenfalls in gewissen Kreisen. Sie verkauften sie in einem Hinterhaus, weil sie wußten, daß kein Kaufhaus Berlins die Massen fassen konnte, die wegen der Jeans kamen. Und so kam es denn auch. Ich nehme an, keiner glaubt, daß ich nicht dabeigewesen war. Und *wie* ich dabei war! So früh war ich lange nicht mehr aufgestanden, um rechtzeitig dazusein. Ich hätte mir doch sonstwas abgebissen, wenn ich keine Jeans abgekriegt hätte. Wir standen da zu dreitausend Mann in dem Treppenhaus und warteten auf den Einlaß. Kein Mensch kann sich vorstellen, wie dicht wir da standen. An dem Tag fiel der erste Schnee, aber gefroren hat von uns garantiert keiner. Ein paar hatten Musik mit. Es war eine Stimmung wie Weihnachten, wenn gleich die Tür aufgeht und die Bescherung anfängt – vorausgesetzt, man glaubt noch an den Weihnachtsmann. Wir waren alle echt high. Ich war kurz davor, meinen Bluejeans-Song loszulassen, als sie die Tür aufmachten und das Theater anfing. Hinter der Tür standen vier ausgewachsene Verkäufer. Die wurden zur Seite geschoben wie nichts, und wir stürzten uns auf die Jeans. Leider wurde die Sache ein glatter Verlust. Es war nicht die echte Sorte, die sie hatten. Es waren zwar auch authentische Jeans, aber es war nicht die echte Sorte. Trotzdem war es ein gelungenes Happening an dem Tag. Am besten waren vielleicht diese zwei Provinzmuttis, die mit in dem Treppenhaus waren. Sie wollten wohl ihren Söhnchen in Kleindingsda echte Jeans mitbringen. Aber als die Stimmung langsam auf den Höhepunkt kam, kriegten sie plötzlich Schiß. Sie wollten raus, die Guten. Dabei hatten sie nicht die Bohne von Chance dafür, selbst wenn ich oder einer ihnen hätte helfen wollen. Sie mußten mitmachen, ob sie wollten oder nicht. Ich hoffe, sie haben es halbwegs überstanden.

Jedenfalls muß an diesem Tag auch dieser Vater irgendwo in der Masse gewesen sein. Ich konnte mir das gut vorstellen, wie er da vor mir in der Tür stand und mich überwachte. Warum er da stand, war mir übrigens fast sofort klar. Über einer Leine in diesem Bad hing ein Paar Damenstrümpfe. Garantiert hatte er eine im Zimmer, und gerade *da* wollte ich mich umsehen, bevor ich mich zu erkennen gab. Ich sagte also: Hier ist alles in Ordnung. Wolln mal sehen, was im Zimmer ist.

Und er: Da ist alles normal.

Ich: Schön. Aber dies Jahr kommt keiner mehr von uns.

Da gab er nach. Wir gingen in das Zimmer. Im Bett lag die Frau. Neben dem Bett stand so ein Campingbett, in dem hatte er wohl kampiert. Die Frau gefiel mir sofort. Sie hatte irgendwas von Charlie. Ich wußte nicht, was. Wahrscheinlich war es die Art, einen immerzu anzusehen, immerzu die Scheinwerfer auf einen zu halten. Ich konnte mir sofort vorstellen, wie wir zu dritt gelebt hätten. Wir hätten ein breiteres Bett angeschafft, und ich hätte auf dem alten oder von mir aus auf der Campingliege auf dem Korridor gepennt. Ich hätte morgens die Schrippen geholt und Kaffee gekocht, und wir hätten zu dritt an ihrem Bett gefrühstückt. Und abends hätte ich sie beide in die »Große Melodie« geschleppt oder auch mal sie allein, und wir hätten geflirtet, natürlich dezent, wie unter Kumpels.

Ich wurde denn auch sofort charmant: Pardon, Madame. Bloß der Heizungsmonteur. Gleich fertig. – In dem Stil.

Ich machte mich über den Heizungskörper her. Ich morste mit dem Hammer auf den Röhren und horchte auf das Echo, wie das diese Heizungskerle so draufhaben. Dabei beäugte ich natürlich das ganze Zimmer. Viel war da nicht. Eine Leiterwand mit Büchern. Ein Fernseher, vorletztes Modell. Nicht ein einziges Bild an den Wänden. Die Frau bot mir zu rauchen an.

Ich sagte: Nee, danke. Rauchen ist ein Haupthindernis der Kommunikation.

Ich machte so auf gebildeter junger Facharbeiter. Dann fragte ich diesen Vater: Sie sind wohl kein großer Bilderfreund?

Er verstand nichts.

Ich weiter: Na, die Wände. Tabula rasa. Unsereins kommt rum. Bilder haben sie überall, so'ne und solche, aber Sie? – Dafür haben sie andere schöne Sachen.

Die Frau lächelte. Sie hatte sofort verstanden. Es war vielleicht auch nicht schwer. Wir sahen uns eine Sekunde an. Sie war, glaubte ich, das einzige in dem Zimmer, was mich nicht tötete. Alles andere tötete mich, vor allem die kahlen Wände. Ich kann es mir nicht anders erklären, daß ich plötzlich wie ein Blöder anfing zu schwafeln: Aber schon richtig. Ich sage immer, wenn schon Bilder, dann selber gemalte – und die hängt man sich feinerweise natürlich nicht an die eigenen Wände. Mal 'ne Frage: Haben Sie Kinder? Tip von mir: Kinder können malen, daß man kaputtgeht. Das kann man sich jederzeit an die Wand hängen, ohne rot zu werden ...

Ich weiß nicht, was ich sonst noch für ein blödsinniges Zeug zusammenredete. Ich glaube, ich hörte erst auf zu reden, als ich wieder auf der Treppe stand, die Tür zu war und ich feststellte, daß ich kein Wort gesagt hatte, wer ich war und das. Aber ich brachte es einfach nicht fertig, noch mal zu klingeln und alles zu sagen. Ich weiß nicht, ob das einer versteht, Leute.

Anschließend kroch ich wieder in meine Laube, wie immer. Ich wollte Musik machen und das und machte es auch, bloß, irgendwie popte das nicht. Ich kannte mich damals schon selbst genug, um zu kapieren, daß in dem Fall irgendwas nicht stimmte mit mir. Ich analysierte mich kurz und stellte fest, daß ich sofort damit anfangen wollte, *meine* Spritze zu bauen. *Mein* NFG. Ich wußte zwar noch nicht wie. Ich wußte nur, daß sie völlig anders aussehen mußte als die von Addi. Ich wußte zwar, daß es nicht einfach sein würde ohne richtiges Werkzeug und das. Aber es war nie meine Art, vor solchen Schwierigkeiten zurückzuschrecken. Klar war auch, daß die Sache völlig im geheimen stattzufinden hatte. Und dann, wenn sie funktionierte, meine Spritze, wollte ich lässig wie ein Lord bei der Truppe aufkreuzen. Ich weiß nicht, ob mich einer begreift, Leute. Jedenfalls fing ich Idiot noch am selben Tag an, die ganze olle verlassene Kolonie nach brauchbaren Gegenständen abzusuchen. Ich weiß nicht, ob sich einer vorstellen kann, was in so einer Kolonie alles drinsteckt. Ich kann nur sagen, alles, im Ernst, bloß nicht, was ich brauchte. Ich schleppte trotzdem alles ran, was irgendwie brauchbar aussah. Erst mal Material haben, dachte ich. Das war der erste Stein zu meinem Grab, Leute. Der erste Nagel zu meinem Sarg.

»Ich könnte sagen, daß wir ihn ziemlich schnell wieder zurückgeholt haben. Aber das war mehr auf Zarembas Initiative. Im Prinzip war es da schon zu spät. Edgar hatte zu der Zeit schon angefangen, an *seinem* NFG zu bauen. Zaremba wußte eben auch nicht alles. Wir stöberten ihn in seiner Laube auf. Aber davon, daß er an einer Spritze baute, war nichts zu sehen. Und auf die Idee, in die Küche zu sehen, sind wir leider nicht gekommen.«

Das mit der Küche hätte euch die Bohne was genutzt, die war zugeschlossen. Da hätte ich kein Aas reingelassen. Vielleicht nicht mal Charlie. Ich war am schönsten Bauen. Da sah ich Zarembas Schädel mit seinen verschimmelten Haaren über meiner Hecke auftauchen. Sofort machte ich die Bude dicht, Leute. Ich haute mich auf das olle Sofa und fing an zu husten. Nicht, daß ich krank war oder so, jedenfalls nicht wirklich. Ich hatte zwar Husten. Wahrscheinlich hatte ich mir den bei der Rumkramerei in der ollen Kolonie zugezogen. Vielleicht hätte ich auch anfangen müssen zu heizen. Aber ich hätte auch aufhören können zu husten. Bloß, ich hatte es mir so schön angewöhnt. Es machte sich hervorragend so. Edgar Wibeau, das verkannte Genie, bei der selbstlosen Arbeit an seiner neuesten Erfindung, die Lunge halb weggefressen, und er gibt nicht auf. Ich war ein völliger Idiot, ehrlich. Aber das spornte mich an. Ich weiß nicht, ob das einer begreift. Also diesen Husten hatte ich drauf, als die Truppe meine Bude stürmte. Das heißt, sie stürmte nicht. Sie kamen fein leise. Erst Addi und dann Zaremba. Wahrscheinlich schob ihn der Alte. Diese Kerle dachten glatt, daß sie wegen mir ein schlechtes Gewissen haben mußten oder so. Weil sie mich weggescheucht hatten. Und dann ich mit meinem Husten auf dem Sofa! Ich weiß nicht, ob sich einer vorstellen kann, wie hervorragend ich diesen Husten draufhatte. Außerdem streckte ich noch meine Füße unter der ollen Decke vor, als wenn sie zu kurz gewesen wäre.

Zaremba meinte denn auch: Ahoi! Hast auch schon mal besser gehustet, no? Dann drehte er sich weg, damit Addi seinen Speech loslassen konnte. Addi suchte sich zunächst was zum Festhalten, dann fing er an: Was ich noch sagen wollte, ich bin vielleicht manchmal 'n bißchen geradezu, ist so meine Art, einwandfrei. Müßten wir in Zukunft beide dran denken. Und die Spritze ist ja jetzt passé. Der Zug ist durch, einwandfrei.

Es fiel ihm nicht leicht. Ich war beinah gerührt. Sagen konnte ich nichts, wegen dem Husten. Jonas, der Gebesserte, erledigte den Rest: Wir dachten, du könntest dich auf Fußböden spezialisieren. Geht auch mit Rolle I a. Und sonnabends sind wir immer kegeln.

Natürlich war der Rest der Truppe mittlerweile vollzählig versammelt. Sie waren förmlich reingetröpfelt, erst einer, dann noch einer. Ich hatte das Gefühl, Zaremba oder Addi hatte sie als Posten an allen vier Seiten aufgestellt gehabt, falls ich mich verdünnisieren wollte. Ich hätte mich beölen können. Sie standen rum und beglotzten meine gesammelten Werke. Ich sah förmlich, wie das popte. Von da an hielten sie mich für einen seltenen Vogel oder was, dem man nicht mehr zu nahe treten durfte. Außer Zaremba. Old Zaremba dachte sich garantiert sein Teil. Er fing dann auch an rumzuschnüffeln in meinem Bau. Zuletzt drückte er auch noch auf die Klinke zur Küche. Aber die war zu, wie gesagt, und auf seine ganzen Fangfragen, ob ich hier überwintern wollte, zum Beispiel, konnte ich kaum antworten. Dieser Husten war einfach unberechenbar. Er kam immer in den blödesten Momenten, Leute. Ich hatte ihn wirklich gut drauf. Zaremba wollte mich sofort zum Arzt haben, der Hund. Ich sah für einen Moment ziemlich alt aus. Dann fiel mir ein, daß ich diesen Husten jeden Herbst habe und daß er völlig harmlos ist. Eine Allergie. Heuhusten oder was. Einmaliger Fall. Rätsel für die Wissenschaft. Und da hörte er schließlich auf. Aber mein Husten besserte sich hervorragend seit dem Tag, ich meine: er verzog sich, bis auf gelegentliche kleine Anfälle. Arzt, das hätte mir noch gefehlt. Meine Meinung zu Ärzten war: Sie konnten mir gestohlen bleiben. Ich war ein einziges Mal freiwillig bei einem Arzt wegen einem Ausschlag an den Füßen. Eine halbe Stunde später lag ich auf seinem Tisch, und er drosch mir in jeden Zeh zwei Spritzen, und dann zog er mir die Zehennägel ab. Das war schon erstmal himmelschreiend. Und als er fertig war, scheuchte er mich zu Fuß in das Krankenzimmer, ob das einer glaubt oder nicht, Leute. Ich blutete durch die Binden wie ein Blöder. Er dachte überhaupt nicht daran, mir einen Krankenstuhl oder was zu geben. Seitdem stand meine Meinung zu Ärzten fest.

Jedenfalls stand ich von dem Tag an unter Naturschutz bei Addi. Die Bilder und dann noch ein in der Welt einmaliger Husten. Ich hätte mir wahrscheinlich sonstwas leisten können ab da. Aber ich konnte mich beherrschen. Ich hatte keine Sehnsucht, sie noch mal auf meiner Kolchose begrüßen zu dürfen. Daß sie mir womöglich auf die Schliche kamen mit der Spritze. Ich Idiot, ich dachte doch immer, ich würde mit der Spritze groß rauskommen. Ich versagte mir fast alles. Ich zückte zum Beispiel kein einziges Mal meine Werther-Pistole. Ich malte brav meine Fußböden mit der Rolle, und sonnabends ging ich sogar manchmal mit kegeln. Ich saß da wie auf Kohlen oder was, während sie kegelten und dachten: Den Wibeau, den haben wir großartig eingereiht. Ich kam mir fast vor wie in Mittenberg. Und zu Hause wartete meine Spritze.

In der Zeit riß ich auch dieses Hugenottenmuseum auf, durch Zufall. Ich hatte es eigentlich längst aufgegeben, danach zu suchen. Anfangs hatte ich dutzendweise Leute gefragt, eine Art Volksbefragung. Können Sie mir sagen, wo ich das Hugenottenmuseum finde? Erfolg gleich Null. Kein Aas in ganz Berlin wußte was davon. Die meisten hielten mich wohl für blöd oder für einen Touristen. Und plötzlich stand ich davor. Es war in einer kaputten Kirche. Der Bau hatte mich interessiert, weil er die erste Kriegsruine war, die ich gesehen hatte. In Mittenberg war doch kein einziger Schuß gefallen! Das hatte doch General Brussilow oder wer beinah vergessen einzunehmen. Und an der einzigen intakten Pforte von dem ganzen Bau stand: Hugenottenmuseum. Und darunter: Wegen Umbau geschlossen. Normalerweise hätte mich dieses Schild nicht gestört. Schließlich war ich Hugenotte, und man konnte mich nicht aussperren. Schätzungsweise wäre mir doch der Museumschef um den Hals gefallen. Ein echter, lebender Hugenottensproß! Soviel ich wußte, waren wir doch am Aussterben. Aber aus irgendeinem Grund machte ich vor diesem Schild kehrt. Ich analysierte mich kurz und stellte fest, daß es mich einfach nicht interessierte, ob ich adlig war oder nicht, oder was die anderen Hugenotten machten; wahrscheinlich nicht mal, ob ich Hugenotte oder Mormone oder sonstwas war. Aus irgendeinem Grund interessierte mich das nicht mehr.

Dafür kam ich um die Zeit auf eine andere blöde Idee, nämlich an Charlie zu schreiben.

Ich hatte sie seit dem Tag damals praktisch nicht wiedergesehen. Mir war klar, daß sie sich längst wieder mit ihrem Dieter vertragen hatte und daß ich nach allem keine Chancen bei ihr haben konnte. Trotzdem hatte ich sie immerzu im Kopf. Ich weiß nicht, ob das einer begreift, Leute. Mein erster Gedanke war sofort Old Werther. Der hatte doch in einer Tour Briefe an seine Charlotte geschrieben. Ich brauchte denn auch nicht lange zu suchen, bis ich einen passenden fand:

Zitat

Wenn Sie mich sähen, meine Beste, in dem Schwall von Zerstreuung! Wie ausgetrocknet meine Sinne werden; ... nicht eine selige Stunde! nichts! nichts!

Das pinselte ich auf die Rückseite von einer Speisekarte in diesem Kegelschuppen. Ich schickte es aber nie ab. Mir wurde klar, daß ich mit Werther schon gar keine Chancen mehr bei ihr hatte. Damit konnte ich ihr nicht mehr kommen. Bloß, mir fiel nichts anderes ein. Einfach hingehen konnte ich doch nicht. Und dann steckte an einem Abend in meinem Briefkasten ein Kuvert. Ich sah das schon von weitem. Post kriegte ich doch nur postlagernd. Es war auch keine Briefmarke drauf. Und drin war eine Karte von Charlie: Lebst du noch? Besuch uns doch mal. Wir haben längst geheiratet.

Charlie mußte also selber dagewesen sein. Ich wurde fast nicht wieder, Leute. Die Knie wakkelten mir. Im Ernst. Ich kriegte eine Art Schüttelfrost. Ich ließ alles stehen und liegen und tobte sofort los. Acht Minuten später stand ich vor Dieters Tür. Ich nahm einfach an, sie würden jetzt zusammen bei ihm wohnen. Und das war auch der Fall. Charlie machte auf. Sie starrte mich zuerst an. Ich hatte das Gefühl, daß ich ihr nicht ganz recht kam um die Zeit. Ich meine, ich kam ihr schon recht, aber doch nicht *ganz* recht. Vielleicht dachte sie auch bloß, ich würde nicht gleich am selben Tag kommen, an dem sie den Brief auf meine Kolchose gebracht hatte. Jedenfalls holte sie mich ins Zimmer. Sie hatten nur das eine Zimmer. Im Zimmer saß Dieter. Er saß da hinter seinem Schreibtisch, genauso, wie er da vor ein paar Wochen gesessen hatte. Das heißt, es saß nicht dahinter, sondern eigentlich davor. Er hatte den Schreibtisch am Fenster stehen und saß davor, mit dem Rücken zum Zimmer. Ich verstand das völlig. Wenn einer nur ein Zimmer hat, in dem er auch noch arbeiten muß, dann muß er sich irgendwie abschirmen. Und Dieter machte das mit dem Rücken. Sein Rücken war praktisch eine Wand.

Charlotte sagte: Dreh dich mal um!

Dieter drehte sich um, und mir fiel zum Glück ein: Wollte bloß mal fragen, ob ihr nicht 'ne Rohrzange habt.

Ich wurde einfach das Gefühl nicht los, Dieter
sollte vielleicht gar nicht wissen, daß Charlie
mich eingeladen hatte. Ich ging auch höchstens
einen Schritt in das Zimmer. Komischerweise
sagte Charlie: Haben wir eine Rohrzange?
Ich analysierte rasant die Lage und kam zu dem
Schluß, daß Charlie die Sache mit der Rohrzange mitspielte. Sofort kriegte ich wieder diesen Schüttelfrost. Dieter fragte: Wozu brauchst
du 'ne Rohrzange? Rohrbruch?
Und ich: Kann man so sagen.
Übrigens brauchte ich tatsächlich diese Zange.
Für die Spritze. Ich hatte zwar etwas in der Art
aufgerissen in einem ollen Schuppen. Bloß, die
war dermaßen vergammelt, daß einer sich damit
höchstens noch ein Loch ins Knie hauen konnte.
Dann gaben wir uns die Pfoten, und Dieter
machte: Na?
Das war dieses Onkel-Na. Hätte bloß noch gefehlt, daß er rangehängt hätte: Junger Freund.
Haben wir uns denn seit unserer letzten Zusam-
menkunft gebessert, oder haben wir immer noch
diese Flausen im Kopf? Für gewöhnlich brachte
mich so was sofort auf die Palme, und auch diesmal war ich sofort oben. Aber ich nahm mich zusammen und kam wieder runter und war ganz
der bescheidene, vernünftige, gereifte Junge, der

ich seit kurzem war, Leute. Ich weiß nicht, ob sich das einer vorstellen kann – ich und bescheiden. Und alles das bloß, weil ich dachte, ich hab diese Spritze in der Hinterhand, ich Idiot. Ich weiß gar nicht mehr, was ich mir eigentlich dachte dabei. Ich war wohl einfach so sicher, daß meine Idee mit der Hydraulik genau richtig war, daß ich schon vorher so bescheiden war wie ein großer Erfinder nach seinem Erfolg. Edgar Wibeau, der große, sympathische Junge, der trotzdem so bescheiden geblieben ist und so weiter. Wie bei diesen Spitzensportlern. Mann, Leute, war ich ein Idiot. Außerdem sah ich natürlich, daß Charlie rot wurde. Ich meine, ich *sah* es nicht. Ich konnte sie die ganze Zeit einfach nicht ansehen. Ich hätte sonst wahrscheinlich irgendeine Riesenidiotie gemacht. Aber ich *merkte* es. Wahrscheinlich ging in dem Moment ihr größter Traum in Erfüllung, daß ich und Dieter gute Freunde wurden. Bis dahin hatte sie noch hinter mir in der Tür gestanden. Jetzt wurde sie ganz aufgeregt, wollte Tee machen und das, und ich sollte mich hinsetzen. Das Zimmer war nicht wiederzuerkennen. Es war nicht bloß renoviert und so, sondern völlig neu eingerichtet. Ich meine, nicht mit Möbeln. Neu waren eigentlich bloß Bilder und Lampen und Gardinen und allerhand Kleinzeug, das Charlie wahrscheinlich mit in die Wirtschaft gebracht hatte. Plötzlich hätte ich da wohnen wollen. Ich meine nicht, daß da alles aufeinander abgestimmt war. Die Sessel nach dem Teppich. Der Teppich nach den Gardinen. Die Gardinen nach den Tapeten und die Tapeten nach den Sesseln, so was konnte mich immer fast gar nicht töten. Das war es nicht. Aber die Bilder waren zum Beispiel aus dem Kindergarten von den Gören. Daß Kinder malen können, daß man kaputtgeht, hab ich wohl schon gesagt. Das eine Bild sollte wohl ein Schneemann sein. Er war nur mit roter Tusche. Er sah aus wie Charlie Chaplin, wenn man ihm alles geklaut hat. Er konnte einem regelrecht an die Nieren gehen. Daneben hing Dieters Luftflinte. Die ganzen Bücher sahen plötzlich so aus, als liest sie ständig einer immer wieder. Man hatte plötzlich Lust, sich irgendwo hinzuhocken und sie alle nacheinander zu lesen. Ich fing an im Zimmer hin und her zu wetzen, mir alles zu besehen und darüber zu reden. Ich lobte alles wie ein Blöder. Ich kann nur jedem sagen, der auf ein Mädchen oder eine Frau scharf ist, der muß sie loben. Bei mir gehörte das einfach zum Service. Natürlich nicht auf die plumpe Art. Sondern so, wie zum Beispiel ich in diesem Zimmer bei Charlie. Abgesehen davon, daß es mir *wirklich* gefiel, sah ich natürlich, daß Charlie abwechselnd rot und blaß wurde. Ich hielt es für möglich, daß Dieter noch keinen Ton zu alldem gesagt hatte. Dazu paßte auch, daß er ganz schnell anfing sich wieder abzuschirmen. Er arbeitete wieder. Als Charlie das sah, setzte sie sich sofort hin, und ich mußte auch. Ich wurde fast nicht wieder. Sie hatte immer noch diese Art, sich hinzusetzen mit ihrem Rock. Leute, ich kann einfach nicht beschreiben, wie mir zumute war. Später winkte sie mich aus dem Zimmer. Draußen erklärte sie mir: Du mußt ihn verstehen, ja? Er ist *völlig* raus aus allem durch die lange Armeezeit. Er ist der Älteste in seinem Studienjahr. Ich glaube, er weiß noch gar nicht, ob Literatur das Richtige ist für ihn. Sie flüsterte so gut wie. Dann fragte sie mich: Und du? Was macht deine Laube?

Ich fing fast automatisch mit meinem Husten an, dezent natürlich.

Charlie sofort: Du willst doch da nicht überwintern?

Ich sagte: Wohl kaum.

Ich hatte diesen Husten wirklich drauf wie nichts.

Dann fragte sie mich: Arbeitest du?

Und ich: Klar. Auf dem Bau.

Ich sah förmlich, wie das popte bei ihr. Charlie gehörte zu denen, die man fragen konnte, ob sie an das »Gute im Menschen« glauben, und die, ohne rot zu werden, »ja« sagen. Und damals glaubte sie wahrscheinlich, das Gute hätte in mir gesiegt und vielleicht, weil sie mir seinerzeit so gründlich ihre Meinung gesagt hatte.

Wenn ich in irgendeinem Buch las, irgendeiner steht plötzlich irgendwo und weiß nicht, wie er da hingekommen ist, weil er angeblich dermaßen abwesend ist, stieg ich meistens sofort aus. Ich hielt das für völligen Quatsch. An dem Abend stand ich vor meiner Laube und wußte tatsächlich nicht, wie ich da hingekommen war. Ich mußte den ganzen Weg lang gepennt haben oder was. Ich ließ sofort den Recorder laufen. Erst wollte ich die halbe Nacht lang tanzen, aber dann fing ich an, wie ein Irrer an der Spritze zu bauen. An dem Abend war ich so sicher wie nie, daß ich mit der Spritze auf dem richtigen Weg war. Es tat mir bloß leid, daß ich nicht wirklich die Rohrzange mitgenommen hatte von Charlie. Davon war natürlich keine Rede mehr gewesen. Meine war wirklich das Letzte. Aber auf die Art hatte ich einen Grund, am nächsten Nachmittag wieder bei Charlie aufzukreuzen. Dieter war nicht da. Charlie war dabei, an dem Baldachin von einer ihrer Lampen rumzubauen. Er wollte einfach nicht halten. Sie stand auf einer Bockleiter, wie wir sie auf dem Bau hatten. So eine, auf der Old Zaremba tanzen konnte. Ich schwang mich mit auf diesen Bock, und wir bauten zusammen an dem blöden Baldachin. Charlie hielt und ich schraubte. Aber ob das einer glaubt, Leute, oder nicht, mir zitterte die Hand. Ich kriegte diese Madenschraube einfach nicht zu fassen. Immerhin hatte ich Charlie so dicht vor mir wie eigentlich noch nie. Das wäre vielleicht noch gegangen. Aber sie hielt ihre Scheinwerfer voll auf mich. Es kam so weit, daß ich hielt und Charlie schraubte. Auf jeden Fall war das für die Schraube das beste. Sie faßte endlich. Charlie und mir waren die Arme abgestorben. Ich weiß nicht, ob das einer kennt, wenn man die Arme stundenlang nach oben hält. Wer Decken streicht oder Gardinen anmacht, weiß Bescheid. Wir stöhnten im Chor und massierten uns die Arme, alles auf der Leiter. Dann fing ich an, ihr von Zaremba zu erzählen, wie er mit der Leiter tanzen konnte, und dann faßten wir uns an den Armen und wackelten auf der Leiter durch das Zimmer. Wir waren mindestens dreimal am Umkippen, aber wir hatten uns vorgenommen, bis zur Tür zu kommen, ohne abzusteigen, und wir schafften es. Ich kriegte sie dazu. Das war es eben: zu so was konnte man Charlie kriegen. Neunundneunzig von hundert Frauen hätten doch sofort gepaßt oder eine Weile rumgekreischt und wären dann abgesprungen. Charlie nicht. Als wir an der Tür waren, stand Dieter auf der Schwelle. Wir jumpten sofort von der Leiter. Charlie fragte ihn: Willst du essen?

Und ich: Dann werd ich man gehen. Es war bloß wegen der Rohrzange.

Ich hatte ungeheuren Schiß davor, daß er Charlie vor meinen Augen irgendwie anfaßte und sie vielleicht küßte oder was. Ich weiß nicht, was dann passiert wäre, Leute. Aber Dieter dachte überhaupt nicht daran. Er ging mit seiner Mappe zu seinem Schreibtisch. Entweder er küßte Charlie nie, wenn er kam, oder er verkniff es sich wegen mir. Ich mußte sofort an Old Werther denken, wie er an seinen Wilhelm da schreibt:

Zitat { Auch ist er so ehrlich und hat Lotten in meiner Gegenwart noch nicht ein einzigmal geküßt. Das lohn ihm Gott.

Ich begriff zwar nicht, was das mit ehrlich zu tun hatte, aber alles andere begriff ich. Ich hatte nie im Leben gedacht, daß ich diesen Werther mal so begreifen würde. Außerdem hätte er Charlie auch gar nicht küssen können oder was. Sie war ziemlich schnell in der Küche. Trotzdem hätte ich natürlich gehen müssen. Ich blieb aber. Ich stellte die Leiter weg. Dann ständerte ich in dem Zimmer rum. Ich wollte ein Gespräch mit Dieter anfangen, bloß mir fiel einfach nichts ein. Plötzlich hatte ich die Luftbüchse in den Klauen. Dieter sagte keinen Ton dazu. Und als Charlie mit dem Freßchen für ihn kam, sagte sie sofort: Vorschlag, Männer, ja? Wir gehen dann zusammen schießen, an den Bahndamm. Beibringen wolltst du's mir schon immer.

Dieter knurrte: Ist doch kein Büchsenlicht mehr um die Zeit.

Er war dagegen. Er wollte arbeiten. Er hielt das für Kinderzeug. Genau wie das mit der Leiter. Aber Charlie hielt ihre Scheinwerfer voll auf ihn, und da gab er nach.

Schlecht für ihn war bloß, daß er dann am Bahndamm einfach nicht mitspielte. Wir schossen auf ein altes Parkverbotsschild, das ich ziemlich schnell aufgerissen hatte. Das heißt: Charlie schoß. Dieter mimte die Zielanzeige, und ich korrigierte Charlies Technik. Das hatte sich so ergeben, weil Dieter überhaupt nicht daran dachte, sich um Charlie zu kümmern. Er ließ die Kinder sozusagen spielen. Er dachte wahrscheinlich bloß an die Zeit, die ihn das alles kostete.

Ich konnte ihn an sich verstehen, trotzdem brachte ich mich wegen Charlie halb um. Ich zeigte ihr, wie man den Kolben in die Schulter zog und wie man die Füße im rechten Winkel stellte und daß man von oben ins Ziel ging und dabei ausatmete, und das ganze Zeug aus der vormilitärischen Ausbildung, das sie einem da beibringen. Vollkorn, Feinkorn, gestrichen Korn und Druckpunkt und das. Charlie schoß und schoß und ließ sich geduldig von mir anfassen, bis sie dann doch merkte, was mit Dieter los war, oder vielleicht, bis sie es schließlich merken *wollte.* Da hörte sie auf. Übrigens hatte Dieter recht gehabt, es war eigentlich längst zu dunkel. Bloß mußte Dieter versprechen, am nächsten Sonntag mit ihr einen Ausflug zu machen, irgendwohin, Hauptsache raus. Von mir war nicht die Rede, jedenfalls nicht ausdrücklich. Charlie machte das sehr geschickt. Sie sagte: ... machen wir einen Ausflug.

Da war alles drin. Aber vielleicht bildete ich Idiot mir auch bloß alles ein. Vielleicht dachte sie wirklich nicht an mich. Vielleicht wär alles, was dann kam, nicht passiert, wenn ich Idiot mir nicht eingebildet hätte, Charlie hätte auch mich eingeladen. Aber ich bedaure nichts. Nicht die Bohne bedaure ich was.

Nächsten Sonntag saß ich neben Charlie auf der Liege in ihrem Zimmer. Es regnete wie blöd. Dieter saß an seinem Schreibtisch und arbeitete, und wir warteten, daß er fertig wurde. Charlie war schon im Regenmantel und allem. Sie war überhaupt nicht überrascht gewesen oder was, als ich klingelte. Also hatte alles seine Richtigkeit. Oder vielleicht war sie auch überrascht, aber sie zeigte es nicht. Diesmal *schrieb* Dieter. Mit zwei Fingern. Auf der Maschine. Er schrieb aus dem Kopf. Eine Arbeit, dachte ich, und das stimmte wohl auch. Ich sah sofort: Es rollte nicht bei ihm. Das kannte ich. Er tippte ungefähr alle halbe Stunde einen Buchstaben. Das sagt wohl alles. Charlie sagte schließlich: Du kannst es doch nicht *zwingen!*

Dieter äußerte sich dazu nicht. Ich mußte die ganze Zeit auf seine Beine sehen. Er hatte sie um die Stuhlbeine gedreht und sich mit den Füßen dahinter festgehakt. Ich wußte nicht, ob das seine Angewohnheit war. Aber mir war eigentlich die ganze Zeit klar, daß er nicht mitkommen würde.

Charlie fing wieder an: Komm! Laß doch mal alles stehn und liegen, ja? Das wirkt manchmal Wunder!

Sie war nicht etwa wütend oder so. Noch nicht.

Sie war vielleicht so sanft, wie eine Kranken-
schwester sein soll.

Dieter meinte: Bei dem Wetter doch nicht mit
'nem Boot.

Ich weiß nicht, ob ich schon sagte, daß Charlie
ein Boot ausleihen wollte.

Charlie sagte sofort: Dann nicht Boot, dann
Dampfer. An sich hatte Dieter recht. Bei dem
Wetter im Boot war eine echte Schnapsidee.

Er fing wieder an mit Tippen.

Charlie: Dann nicht Dampfer. Dann bloß ein
paar Runden ums Karree.

Das war ihr letztes Angebot, und es war wirklich eine Chance für Dieter. Er rührte sich aber
nicht.

Charlie: Außerdem sind wir ja nicht aus Zuk-
ker.

Ich glaube, in dem Moment war es schon mit
ihrer Geduld vorbei. Dieter sagte ruhig: Fahrt
doch.

Und Charlie: Du hast es fest versprochen!

Dieter: Ich sag doch: Fahrt!

Da wurde Charlie laut: Wir fahren auch!

In dem Moment ging ich. Wie das weiterging,
konnte sich jeder ausrechnen. Ich war auch völlig fehl da am Platze. Ich meine: ich ging aus
dem Zimmer. Ich hätte natürlich ganz gehen sol-

len. Das sehe ich ein. Aber ich kriegte es einfach nicht fertig. Ich ständerte da in der Küche rum. Ich mußte plötzlich an Old Werther denken, wie er schreibt:

Zieht ihn nicht jedes elende Geschäft mehr an als die teure, köstliche Frau? . . . Sattigkeit ist's und Gleichgültigkeit! _(Zitat)_

Nun war ja Dieter kein Geschäftsmann und Charlie alles andere als eine teure Frau. Und Sattigkeit war's bei Dieter auch nicht. Klar, daß er von wegen der Armee ein hohes Stipendium hatte. Aber unsereins verdiente garantiert dreimal soviel mit dem bißchen Pinselei. Ich wußte auch nicht, was es war. An sich hatte ich gegen Dieter nichts einzuwenden. Feststand bloß, daß er seit ewig mit Charlie nicht mehr aus ihrer Bude gegangen war. Das war das einzige, was feststand. Ungefähr als ich das analysiert hatte, kam Charlie aus dem Zimmer geschossen. Ich sage nicht umsonst: geschossen, Leute. Zu mir sagte sie bloß: Komm!

Ich war sofort bei ihr.

Dann sagte sie: Warte!

Ich wartete. Sie griff sich vom Kleiderhaken diesen grauen Umhang und drückte ihn mir an die Brust. Dieter hatte das Ding wohl von der Armee mitgebracht. Es roch außer nach

Gummi nach Benzin, Käse und verbranntem Müll.

Sie fragte mich: Kannst du Motorboot fahren?

Ich sagte: Kaum.

Normalerweise hätte ich gesagt: Klar. – Bloß, ich hatte die Rolle des braven Jungen schon wieder so gut drauf, daß ich glatt die Wahrheit sagte.

Charlie fragte: Was ist?

Sie sah mich an, wie wenn einer nicht richtig verstanden hat.

Ich sagte sofort: Klar.

Drei Sekunden später waren wir auf dem Wasser. Ich meine: Es dauerte sicher eine Stunde oder so. Es ging mir bloß zum zweitenmal mit Charlie so, daß ich einfach nicht wußte, wie ich wohin gekommen war. Wie im Film ging das. Zack – und man war da. Ich hatte damals bloß keine Zeit, das zu analysieren. Dieses blöde Boot hatte ziemlich viel PS. Es schoß wie irr über die Spree, und drüben war die Betonmauer von irgendeinem Werk. Ich hatte alle Mühe, noch irgendwie die Kurve zu kriegen. Statt daß ich Idiot einfach Gas weggenommen hätte. Wir wären glatt ersoffen, und von dem Boot wäre nicht die Bohne was übriggeblieben. Diese Boote gehen ja sofort los, wenn man sie anläßt. Nichts mit

Kupplung und so. Ich sah Charlie an. Sie sagte keinen Ton. Ich nehme an, der Bootsmensch von dem wir den Kahn hatten, wurde nicht wieder dabei. Ich sah ihn bloß auf seinem Steg stehen. Wie Charlie ihm das Boot aus dem Kreuz geleiert hatte, war sowieso ein Kapitel für sich. Ich weiß nicht, ob einer glaubt, daß ich sehr schüchtern war und das. Oder daß ich Hemmungen hatte. Aber ich hätte gepaßt, als ich den Bau sah von dieser Ausleihstation der Jugend. Das triefte alles vor Nässe. Im Wasser kein einziges Boot. Schließlich konnte von Saison keine Rede mehr sein kurz vor Weihnachten. Und der Bau war verrammelt wie für den dritten Weltkrieg. Aber Charlie fand ein Loch im Zaun und klingelte den Bootsmenschen aus dem Bau und bekniete ihn so lange, bis er uns dieses Boot aus seinem Bootshaus rausgab. Ich hätte das nicht für möglich gehalten. Der Bootsmensch wahrscheinlich auch nicht. Ich glaube, an dem Tag hätte Charlie *alles* erreicht. Sie war einfach nicht zu bremsen. Sie hätte jeden zu allem rumgekriegt.

Auf dem Wasser kroch sie mit unter die Pelerine. Es regnete immer noch wie verrückt. Ein paar Grad weniger, und wir hätten den schönsten Schneesturm gehabt. Wahrscheinlich wird sich keiner mehr an den letzten Dezember erinnern.

Es war sicher ekelhaft klamm in dem Kahn, aber ich merkte kein Stück davon. Ich weiß nicht, ob das einer begreift. Charlie legte den Arm um meinen Sitz und den Kopf auf meine Schulter. Ich dachte, ich wurde nicht wieder. Das Boot hatte ich langsam im Griff. Ich wußte nicht, ob es auf dem Wasser auch Verkehrsregeln gab. Ich hatte mal so was läuten hören. Aber auf dieser ganzen ewig langen Spree war an dem Tag nicht ein einziges Boot unterwegs oder Dampfer. Ich zog den Gasgriff ganz raus. Der Bug stellte sich hoch. Dieses Boot war nicht übel. Wahrscheinlich war es für den Privatgebrauch von diesem Bootsmensch. Ich fing an, allerhand Kurven zu ziehen. Hauptsächlich Linkskurven, weil das Charlie so gut gegen mich drückte. Sie hatte nicht die Bohne was dagegen. Später fing sie selber an zu lenken. Einmal kamen wir nur knapp an einem Brückenpfeiler vorbei. Charlie sagte keinen Ton. Sie hatte immer noch ungefähr dasselbe Gesicht von dem Moment, als sie von Dieter rausgeschossen kam.

Ich hatte bis dahin nicht gewußt, daß man eine Stadt auch von hinten sehen kann. Berlin von der Spree, das ist Berlin von hinten. Die ganzen ollen Werkhöfe und Lagerschuppen.

Zuerst dachte ich, der Regen würde uns das Boot

vollmachen. Aber da war nichts. Wahrscheinlich fuhren wir drunter weg. Wir waren längst naß bis auf die Haut, trotz der Pelerine. Gegen diesen Regen half sowieso nichts. Wir waren so naß, daß uns längst alles egal war. Wir hätten ebensogut baden können in den Sachen. Ich weiß nicht, ob das einer kennt, Leute. Man ist so naß, daß einem wirklich alles egal ist.

Irgendwann hörten dann die Schuppen auf. Nur noch Villen und das. Dann mußten wir abbiegen, entweder links oder rechts. Ich zog natürlich nach links. Ich hatte bloß die Hoffnung, daß wir aus diesem See wieder rauskamen. Ich meine: auf einem anderen Weg. Ich wollte zeitlebens nie den gleichen Weg zurück machen, den ich irgendwo hingegangen war. Nicht aus Aberglauben und so. Das nicht. Ich wollte es nicht. Es langweilte mich wahrscheinlich. Ich glaube, das war auch so eine meiner fixen Ideen. Wie die mit der Spritze zum Beispiel. Als wir an einer Insel vorbeirauschten, wurde Charlie unruhig. Sie mußte mal. Ich verstand das. Wenn es regnet, geht einem das immer so. Ich suchte eine Lücke im Schilf. Zum Glück gab es davon massenweise. Eigentlich mehr Lücken als Schilf. Es goß immer noch wie aus Eimern. Wir jumpten an Land. Charlie verkrümelte sich irgendwohin. Als sie zurück war, hockten wir uns unter die Pelerine in das klitschnasse Gras von dieser Insel. Kann aber auch sein, es war nur eine Halbinsel. Ich bin da nie wieder hingekommen. Da fragte mich Charlie: Willst du einen Kuß von mir?

Leute, ich wurde nicht wieder. Ich fing an zu zittern. Charlie hatte noch immer diese Wut auf Dieter, das sah ich genau. Trotzdem küßte ich sie. Ihr Gesicht roch wie Wäsche, die lange auf der Bleiche gewesen ist. Ihr Mund war eiskalt, wahrscheinlich alles von diesem Regen. Ich ließ sie dann einfach nicht mehr los. Sie riß die Augen auf, aber ich ließ sie nicht mehr los. Es wäre auch nicht anders gegangen. Sie war wirklich naß bis auf die Haut, die ganzen Beine und alles.

In irgendeinem Buch hab ich mal gelesen, wie ein Neger, also ein Afrikaner, nach Europa kommt und wie er seine erste weiße Frau kriegt. Er fängt dabei an zu singen, irgendeinen Song von sich zu Hause. Ich stieg sofort aus. Es war vielleicht einer meiner größten Fehler, gleich auszusteigen, wenn ich was nicht kannte. Bei Charlie hätte ich wirklich singen können. Ich weiß nicht, wer das kennt, Leute. Ich war nicht mehr zu retten.

Wir sind dann zurück nach Berlin auf demselben Weg. Charlie sagte nichts, aber sie hatte es plötzlich sehr eilig. Ich wußte nicht, warum. Ich dachte, daß ihr einfach furchtbar kalt war. Ich wollte sie wieder unter die Pelerine haben, aber sie wollte nicht, ohne eine Erklärung. Sie faßte die Pelerine auch nicht an, als ich sie ihr ganz gab. Sie sagte auf der ganzen Rückfahrt überhaupt kein Wort. Ich kam mir langsam wie ein Schwerverbrecher vor. Ich fing wieder an, Kurven zu ziehen. Ich sah sofort, daß sie dagegen war. Sie hatte es bloß eilig. Dann ging uns der Sprit aus. Wir pätschelten uns bis zur nächsten Brücke. Ich wollte zur nächsten Tankstelle, Sprit holen, Charlie sollte warten. Aber sie stieg aus. Ich konnte sie nicht halten. Sie stieg aus, rannte diese triefende Eisentreppe hoch und war weg. Ich weiß nicht, warum ich ihr nicht nachrannte. Wenn ich in Filmen oder wo diese Stellen sah, wo eine weg will und er will sie halten, und sie rennt zur Tür raus, und er stellt sich bloß in die Tür und ruft ihr nach, stieg ich immer aus. Drei Schritte, und er hätte sie gehabt. Und trotzdem saß ich da und ließ Charlie laufen. Zwei Tage später war ich über den Jordan, und ich Idiot saß da und ließ sie laufen und dachte bloß daran, daß ich das Boot jetzt allein zurückbringen mußte. Ich weiß nicht, ob einer von euch schon mal über Sterben nachgedacht hat und das. Darüber, daß einer eines Tages einfach nicht mehr da ist, nicht mehr anwesend, ab, weg, aus und vorbei, und zwar unwiderruflich. Ich hab eine ganze Zeit oft darüber nachgedacht, dann aber aufgegeben. Ich schaffte es einfach nicht, mir vorzustellen, wie das sein soll, zum Beispiel im Sarg. Mir fielen nichts als blöde Sachen ein. Daß ich im Sarg liege, es ist völlig dunkel, und es fängt an, mich grauenhaft am Rücken zu jucken, und ich muß mich kratzen, weil ich sonst umkomme. Aber es ist so eng, daß ich die Arme nicht bewegen kann. Das ist schon der halbe Tod, Leute, wer das kennt. Aber da war ich doch höchstens scheintot! Ich schaffte es einfach nicht. Kann sein, wer das schafft, der ist schon halb tot, und ich Idiot dachte wohl, daß ich unsterblich war. Ich kann euch bloß raten, Leute, das nie zu denken. Ich kann euch bloß raten, nie an ein Scheißboot oder was zu denken und sitzen zu bleiben, wenn euch eine wegläuft, an der euch was liegt.

Jedenfalls, dieser Bootsmensch hatte so gut wie die Wasserpolizei alarmiert, als ich endlich mit dem Boot kam. Aber er war stumm vor Glück, daß er seinen Kahn wiederhatte. Ich dachte: Der Mann vergißt diesen Tag auch nicht. Erst dachte ich, er würde einen Riesenaufriß machen. Ich nahm schon die Fäuste hoch. Ich war gerade in der richtigen Stimmung. Diesen Tankwart zum Beispiel an der Sonntagstankstelle hatte ich dermaßen vollgenölt, daß er nicht wieder wurde. Er wollte mir keinen Kanister pumpen. Er war von dem Typ: Und-wer-bezahlt-mir-den-Kanister-wenn-er-weg-ist? Mit solchen Leuten kann man nicht leben.

Zu Hause hängte ich meine nassen Sachen an den Nagel. Ich wußte nicht, was ich machen sollte. Ich wußte *einfach* nicht, was ich machen sollte. Ich war am Boden wie noch nie. Ich ließ die M.S.-Jungs laufen. Ich tanzte, bis ich kochte, vielleicht zwei Stunden, aber dann wußte ich immer noch nicht, was ich machen sollte. Ich versuchte es mit Schlafen. Ich wälzte mich ewig und drei Stunden auf dem ollen Sofa. Als ich wach wurde, war draußen der dritte Weltkrieg ausgebrochen. Ein Panzerangriff oder was. Ich jumpte von dem ollen Sofa und an die Tür, da tobte so ein Vieh mit Raupenketten und Stahlschild genau auf mich zu. Ein Bulldozer. Hundertfünfzig PS. Ich brüllte schätzungsweise wie ein Idiot. Einen halben Meter vor mir kam er zum Stehen, mit abgewürgtem Motor. Der Kerl da, der Fahrer, kam von seinem Bock. Ohne eine Warnung setzte er mir eine rechte Gerade an, daß ich zwei Meter in meine Laube flog. Ich machte sofort eine Rolle rückwärts. Damit kommt man am schnellsten wieder auf die Beine. Ich zog den Kopf ein zum Gegenangriff.

Ich hätte ihm einen linken Haken angesetzt, daß er nicht wieder geworden wäre. Ich glaube, ich sagte noch nicht, daß ich ein echter Linkshänder war. Das war ungefähr das einzige, was Mutter Wiebau mir nicht abgewöhnen konnte. Sie machte alles mögliche, um es zu schaffen, und ich Idiot machte auch noch mit. Bis ich anfing zu stottern und ins Bett zu machen. An dem Punkt sagten die Ärzte stopp. Ich durfte wieder mit der Linken schreiben, hörte auf zu stottern und wurde wieder trocken. Der ganze Erfolg war, daß ich später mit der Rechten ganz gut zurecht-kam, viel besser zum Beispiel als andere mit der Linken. Aber die Linke lag doch immer vorn. Bloß, dieser Panzerfahrer dachte gar nicht daran, die Fäuste hochzunehmen. Er war plötzlich selber käseweis, setzte sich auf die Erde. Dann sagte er: 'ne Sekunde später, und du warst ein Brei und ich im Zet. Und ich hab drei Kinder. – Bist du wahnsinnig, hier noch zu wohnen?

Der machte Baufreiheit mit seinem Schrapper für die nächsten Neubauten. Ich sah wahrschein-lich ziemlich alt aus. Ich nuschelte: Ein paar Tage noch, und ich bin hier weg.

Soviel war mir in der Nacht klargeworden, daß ich in Berlin nichts mehr zu bestellen hatte. Ohne Charlie hatte ich da nichts mehr zu bestellen. Darauf lief es doch hinaus. Zwar hatte *sie* mit der Küsserei angefangen. Aber langsam begriff ich, daß ich trotzdem zu weit gegangen war. Ich als Mann hätte die Übersicht behalten müssen.

Er sagte noch: Drei Tage noch. Bis nach Weihnachten. Dann ist Schluß, klar?!

Dann schwang er sich wieder auf seinen Panzer. Ich war zwar entschlossen, so schnell wie möglich die Spritze fertigzumachen, aber drei Tage, das war knapp. Und blaumachen wollte ich nicht. Ich wollte nicht noch im letzten Moment ein Risiko eingehen durch Blaumachen. Zaremba wäre doch glatt nach vierundzwanzig Stunden aufgetaucht und hätte nach dem Rechten geschnüffelt. Oder Addi. Ich war immerhin sein größter Erziehungserfolg. Ich wollte die Spritze fertigmachen, sie Addi auf den Tisch knallen und dann abdampfen nach Mittenberg und von mir aus die Lehre zu Ende machen. So weit war ich. Ich weiß nicht, ob das einer versteht, Leute. Wahrscheinlich war mir einfach bloß mulmig wegen Weihnachten. Ich stand zwar nie besonders auf diesen Weihnachtsklimbim und das. »O du fröhliche« und Bäumchen und Kuchen. Aber mulmig war mir doch irgendwie. Wahrscheinlich ging ich auch deswegen *gleich* zur Post, um zu sehen, ob im Schließfach was von Willi war. Sonst ging ich immer erst nach Feierabend.

Mir wurde sofort komisch, als im Schließfach ein Eilbrief von Willi war. Ich riß ihn auf. Ich wurde nicht wieder. Der wichtigste Satz war ... mach mit mir, was du willst. Ich hab es nicht ausgehalten. Ich hab deiner Mutter gesagt, wo du bist. Daß du dich nicht wunderst, wenn sie auftaucht. Der Brief war zwei Tage gegangen. Ich wußte, was ich zu tun hatte. Ich machte sofort kehrt. Wenn sie den Frühzug in Mittenberg nahm, hätte sie schon dasein müssen, Wegezeit eingerechnet. Folglich hatte ich noch eine Chance bis zum Abendzug. Ich kaufte einen Armvoll Milchtüten, weil Milch am einfachsten satt macht, und schloß mich in der Laube ein. Ich verhängte alle Fenster. Vorher machte ich draußen noch einen Zettel an: Bin gleich wieder da!

Im Fall aller Fälle. Das konnte auch für den nächsten blöden Bulldozer gut sein, dachte ich. Dann stürzte ich mich auf meine Spritze. Ich fing an zu schuften wie irr, ich Idiot.

»Am Montag, einen Tag vor Weihnachten, kam er nicht zur Arbeit. Wir waren nicht besonders sauer deswegen. Es war unwahrscheinlich mild, und wir konnten den Tag gut nutzen, aber wir hatten den Jahresplan längst in der Tasche. Außerdem fehlte Edgar das erste Mal, seit wir ihn wiedergeholt hatten.«

Das war mein Glück, oder wie man das nennen soll. So ziemlich die einzige von meinen Rechnungen, die aufging. Ich begreife zum Beispiel nicht mehr, warum ich mit meiner Spritze so sicher war. Aber ich war tatsächlich so sicher wie nie. Der Gedanke mit der Hydraulik war so logisch wie nur was. Dieser Farbnebel beim Spritzen kam durch die Druckluft. Fiel die weg und man brachte den nötigen Druck ohne Luft, war das Ding gelaufen. Blöd war bloß, daß ich auf die Art keine Zeit mehr hatte, mir die nötige Düse anzufertigen. Ich mußte bis Feierabend warten, am besten bis es dunkel wurde, und dann die von Addi klauen. Addis Spritze lag abgeschrieben unter unserem Salonwagen. Mein nächstes Problem war, die nötigen PS ranzuschaffen für die beiden Druckzylinder. Zum Glück hatte ich tatsächlich einen E-Motor von gut zwei PS auftreiben können. Den mußte ich sogar noch drosseln. Ich weiß nicht, ob sich einer vorstellen kann, was zwei PS anrichten können, wenn sie losgelassen sind. Vielleicht denkt auch einer, das Ganze war eine Spielerei oder was. Hobbybeschäftigung. Das ist Quatsch. Was Zaremba gesagt hatte, war richtig. Das Ding wäre eine echte Sensation gewesen, technisch und ökonomisch. Ungefähr in der Art wie der Vorderradantrieb bei Autos seinerzeit, wenn einer weiß, was das ist. An sich sogar noch eine Stufe höher. Es konnte einen berühmt machen, jedenfalls in der Fachwelt. Ich wollte es Addi auf den Tisch knallen und sagen: Drück mal auf dieses Knöpfchen hier.

Schätzungsweise wäre er nicht wieder geworden. Dann hätte ich die Sache mit Charlie in Ordnung gebracht und wäre dann abgedampft. Ich meine, ich hätte sie ihm natürlich nicht *wirklich* auf den Tisch geknallt. Dazu war sie langsam zu groß. Sie sah langsam aus wie eine olle Jauchepumpe mit Windantrieb. Ich hatte zwar alles, was ich brauchte, bloß nichts paßte richtig zusammen. Ich *mußte* einfach anfangen zu pfuschen. Sonst wäre ich nie im Leben fertig geworden. Am meisten fehlte mir eine elektrische Bohrmaschine. Außerdem hatte der Motor natürlich dreihundertachtzig Volt. Ich nahm an, er war aus einer alten Drehmaschine. Das heißt, ich mußte die

zweihundertzwanzig in der Laube erst hoch-
transformieren. Ich hoffte bloß, daß der Trafo
in Ordnung war, den ich hatte. Irgendein Meß-
gerät hatte ich nicht. Das war wahrscheinlich ein
weiterer Nagel zu meinem Sarg. Und Zeit, eins
irgendwo aufzureißen, hatte ich schon gar nicht.
Außerdem liegen Meßgeräte nicht so rum wie ein
oder zwei alte LKW-Stoßdämpfer. Die hatten
übrigens auch nicht gerade rumgelegen, und alt
waren sie vielleicht auch nicht, aber man konnte
doch rankommen, wenn man wollte. Ohne die
Stoßdämpfer wäre ich einfach aufgeschmissen
gewesen. Die Mäntel hätten zwar dicker sein
müssen, für den Druck. Notfalls wollte ich deswegen die Düse aufbohren. Das hätte zwar den
Strahl dicker gemacht, aber ich wollte sowieso
mit Ölfarbe anfangen. Gegen zwölf war ich so
weit, daß ich die Düse brauchte zum Einpassen.
Ich robbte los in Richtung Baustelle. Ich war
nicht der Meinung, daß ich schon fertig war und
daß der erste Versuch gleich klappen würde.
Aber auf die Art hatte ich noch die Nacht lang
Zeit zum Verbessern. Ich war wieder ruhiger.
Mutter Wiebau konnte höchstens am nächsten
Vormittag auftauchen. Sie hatte mir noch eine
Chance gegeben. Auf dem Bau war alles dunkel.
Ich tauchte unter unseren Salonwagen und fing

an, die Überwurfmutter zu lösen. Blöderweise
hatte ich kein anderes Universalwerkzeug als die
halbvergammelte Rohrzange. Außerdem saß
die Übermutter fest wie Mist. Ich riß mir fast
den halben Arsch auf, bis ich sie locker hatte. In
dem Moment hörte ich, daß Zaremba im Wagen
war, und zwar mit einer Frau. Ich sagte es schon.
Wahrscheinlich hatte ich sie aufgestört. Jedenfalls, als ich unter dem Wagen vorkroch, stand
er vor mir. Er knurrte: No?
Er stand direkt vor mir und starrte mich an. Allerdings stand er da im Licht, das aus dem Wagen
kam. Er hatte dieses kleine Beil von uns in der
Hand. Ich nahm damals an, er war einfach ge-
blendet. Aber er hatte dieses Grinsen in seinen
Schweinsritzen. Auf *die* Entfernung hat er mich
einfach sehen müssen. Ich machte zwar keine Bewegung. Ich kann nur jedem raten, in dieser Situation einfach keine Bewegung zu machen. Meiner Meinung nach war Zaremba der letzte
Mensch, der mich gesehen hat und der auch genau wußte, was gespielt wurde.
Auf dem ganzen Rückweg sah ich keinen
Schwanz. Um die Zeit hätte man auch nach Mittenberg gehen können. Überhaupt sah Berlin
nach acht genau wie Mittenberg aus. Alles hockte
vor der Röhre. Und die paar Halbstarken ver-

krümelten sich in den Parks oder Kinos oder sie waren Sportler und zum Training. Kein Schwanz auf der Straße.

Gegen zwei hatte ich die Düse im Stutzen. Ich füllte die Hälfte der Ölfarbe in die Patrone. Dann überprüfte ich noch mal die Schaltung. Ich sah mir überhaupt das ganze Ding noch mal an. Ich sagte wohl schon, wie es aussah. Es war normalerweise technisch nicht vertretbar. Aber mir kam es auf das Prinzip an. Das war schätzungsweise mein letzter Gedanke, bevor ich auf den Knopf drückte. Ich Idiot hatte doch tatsächlich den Klingelknopf von der Laube abgebaut. Ich hätte jeden normalen Schalter nehmen können. Aber ich hatte den Klingelknopf abgebaut, bloß damit ich zu Addi sagen konnte: Drück mal auf den Knopf hier.

Ich war vielleicht ein Idiot, Leute. Das letzte, was ich merkte, war, daß es hell wurde und daß ich mit der Hand nicht mehr von dem Knopf loskam. Mehr merkte ich nicht. Es kann nur so gewesen sein, daß die ganze Hydraulik sich nicht bewegte. Auf die Art mußte die Spannung natürlich ungeheuer hochgehen, und wenn einer dann die Hand daran hat, kommt er nicht wieder los. Das war's. Macht's gut, Leute!

»Als Edgar auch am Dienstag nicht kam, gingen wir gegen Mittag los.

Auf dem Grundstück war die VP. Als wir sagten, wer wir sind, sagten sie uns, was los war. Auch, daß es keinen Zweck hatte, ins Krankenhaus zu gehen. Wir waren wie vor den Kopf geschlagen. Sie ließen uns dann in die Laube. Das erste, was mir auffiel, war, daß die Wände voller Ölfarbe waren, vor allem in der Küche. Sie war noch feucht. Es war dieselbe, mit der wir die Küchenpaneele machten. Es roch nach der Farbe und nach verschmortem Isolationsmaterial. Der Küchentisch lag um. Sämtliches Glas lag in Scherben. Unten lagen ein verschmorter Elektromotor, verbogene Rohrenden, Stücke von Gartenschlauch. Wir sagten denen von der VP, was wir wußten, aber eine Erklärung hatten wir auch nicht. Zaremba sagte noch, aus welchem Betrieb Edgar gekommen war. Dann war Schluß.

Wir machten an dem Tag keinen Handschlag mehr. Ich schickte alle nach Hause. Bloß Zaremba ging nicht. Er fing an, unter unserem Bauwagen unsere alte Spritze vorzuziehen. Er untersuchte sie, und dann zeigte er mir, daß die Düse fehlte. Wir gingen sofort zurück auf Edgars Grundstück. Die Düse fanden wir in der Küche in einem Stück alten Gasrohr. Ich suchte zusammen, was sonst noch rumlag, auch das Kleinste. Auch, was auf dem Tisch festgeschraubt war. Zu Hause reinigte ich es von der Ölfarbe. Über Weihnachten versuchte ich, die ganze Anordnung zu rekonstruieren. Ein besseres Puzzlespiel. Ich schaffte es nicht. Wahrscheinlich fehlte doch noch die Hälfte der Sachen, vor allem ein Druckbehälter oder etwas in der Art. Ich wollte noch mal in die Laube, aber da war sie schon eingeebnet.«

Schätzungsweise war es am besten so. Ich hätte diesen Reinfall sowieso nicht überlebt. Ich war jedenfalls fast so weit, daß ich Old Werther verstand, wenn er nicht mehr weiterkonnte. Ich meine, ich hätte nie im Leben freiwillig den Löffel abgegeben. Mich an den nächsten Haken gehängt oder was. Das nie. Aber ich wär doch nie *wirklich* nach Mittenberg zurückgegangen. Ich weiß nicht, ob das einer versteht. Das war vielleicht mein größter Fehler: Ich war zeitlebens schlecht im Nehmen. Ich konnte einfach nichts einstecken. Ich Idiot wollte immer der Sieger sein.

»Trotzdem. Edgars Apparatur läßt mich nicht los. Ich werde das Gefühl nicht los, Edgar war da einer ganz sensationellen Sache auf der Spur, einer Sache, die einem nicht jeden Tag einfällt. Jedenfalls keine fixe Idee. Einwandfrei.«

»Und die Bilder?! Glauben Sie, daß davon noch irgendwo eins zu finden ist?«

»Die Bilder? – Daran hat keiner mehr gedacht. Die waren voller Farbe. Die werden wahrscheinlich mit eingeebnet sein.«

»Können Sie welche beschreiben?«

»Ich versteh nichts davon. Ich bin nur einfacher Anstreicher. Zaremba meinte, sie wären nicht von schlechten Eltern. Kein Wunder, bei dem Vater.«

»Ich bin nicht Maler. Ich war nie Maler. Ich bin Statiker. Ich hab Edgar seit seinem fünften Lebensjahr nicht gesehen. Ich weiß nichts über ihn, auch jetzt nicht. Charlie, eine Laube, die nicht mehr steht, Bilder, die es nicht mehr gibt, und diese Maschine.«

»Mehr kann ich Ihnen nicht sagen. Aber wir durften ihn wohl nicht allein murksen lassen. Ich weiß nicht, welcher Fehler ihm unterlaufen ist. Nach dem, was die Ärzte sagten, war es eine Stromsache.«

Insel-Bibliothek

Die Insel-Bibliothek bietet erstrangige Editionen der Weltliteratur in deutscher Sprache. Romane, Erzählungen und Gedichtsammlungen, die dem klassischen Literaturkanon zugehörig sind, werden im Rahmen der Insel-Bibliothek zweifach geschmückt präsentiert: Zum einen zeichnet sich jede Ausgabe durch besondere editorische Sorgfalt aus, die Literarhistoriker von hohem wissenschaftlichem Rang gewährleisten. Zum anderen setzt der Insel Verlag mit der bibliophilen Gestaltung eines jeden Bandes der Insel-Bibliothek die in fünfundachtzigjähriger Verlagstradition gereiften Qualitätsansprüche hervorragend ausgestatteter Bücher fort. Die Ausgaben sind typographisch vorzüglich eingerichtet und mit sorgfältig ausgewählten Materialien ausgestattet. Es finden wertvolle Papiere der Firma Schoeller & Hoesch Verwendung. Die Bücher werden fadengeheftet, flexibel in Feincanvas und in rotem Ziegenleder gebunden. Ein Leseband, dekoratives Vorsatzpapier und ein schützender Schmuckschuber vervollständigen die Ausstattung. Dem Leser und Liebhaber schöner Literatur soll mit der Zeit die Möglichkeit gegeben werden, eine »Bibliothek der Weltliteratur« in wertbeständigen Einzelausgaben sein eigen zu nennen.

Boccaccio, Giovanni di: Das Dekameron. Mit 110 Holzschnitten der italienischen Ausgabe von 1492. Deutsch von Albert Wesselski. Übertragung der Gedichte von Theodor Däubler. Einleitung von André Jolles. 2 Bände

Brontë, Emily: Die Sturmhöhe. Aus dem Englischen von Grete Rambach

Dickens, Charles: Weihnachtserzählungen. Mit Illustrationen von Leech, Stanfiels, Stone u. a.

Dostojewski, Fedor M.: Der Spieler. Aus den Aufzeichnungen eines jungen Mannes. Aus dem Russischen von Hermann Röhl

Eichendorff, Joseph Freiherr von: Aus dem Leben eines Taugenichts. Mit Illustrationen von Adolf Schrödter und einem Nachwort von Ansgar Hillach

Flaubert, Gustave: Drei Erzählungen/Trois Contes. Zweisprachige Ausgabe. Neu übersetzt und herausgegeben von Cora van Kleffens und André Stoll

– Die Versuchung des Heiligen Antonius. Mit zwanzig Bilddokumenten. Aus dem Französischen von Barbara und Robert Picht. Mit einem Nachwort von Michel Foucault

Fontane, Theodor: Effi Briest. Mit 21 Lithographien von Max Liebermann

Goethe, Johann Wolfgang: Dichtung und Wahrheit. Mit zeitgenössischen Illustrationen, ausgewählt von Jörn Göres. Drei Bände

Insel-Bibliothek

94/2/8.84

Insel-Bibliothek

94/3/8.84

Suhrkamp Taschenbücher Materialien

Herbert Achternbusch. Hg. J. Drews. st 2015

Samuel Beckett. Hg. H. Engelhardt. st 2044

Thomas Bernhard, Werkgeschichte. Hg. J. Dittmar. st 2002

Brasilianische Literatur. Hg. M. Strausfeld. st 2024

Brechts ›Aufhaltsamer Aufstieg des Arturo Ui‹. Hg. R. Gerz. st 2029

Brechts ›Gewehre der Frau Carrar‹. Hg. K. Bohnen. st 2017

Brechts ›Guter Mensch von Sezuan‹. Hg. J. Knopf. st 2021

Brechts ›Leben des Galilei‹. Hg. W. Hecht. st 2001

Brechts ›Mann ist Mann‹. Hg. C. Wege. st 2023

Brechts ›Mutter Courage und ihre Kinder‹. Hg. D. Müller. st 2016

Brechts Romane. Hg. W. Jeske. st 2042

Brechts ›Tage der Commune‹. Hg. W. Siegert. st 2031

Brochs ›Verzauberung‹. Hg. P. M. Lützeler. st 2039

Die deutsche Kalendergeschichte. Ein Arbeitsbuch von Jan Knopf. st 2030

Hans Magnus Enzensberger. Hg. R. Grimm. st 2040

Frischs ›Homo faber‹. Hg. W. Schmitz. st 2028

Frischs ›Andorra‹. Hg. E. Wendt u. W. Schmitz. st 2053

Geschichte als Schauspiel. Hg. W. Hinck. st 2006

Hesses ›Siddhartha‹. Hg. V. Michels. 2 Bände. st 2048/2049

Hermann Hesse. Rezeption 1978-1983. Hg. V. Michels. st 2045

Ludwig Hohl. Hg. J. Beringer. st 2007

Ödön von Horváth. Hg. T. Krischke. st 2005

Ödön von Horváth. Der Fall E. oder Die Lehrerin von Regensburg. Hg. J. Schröder. st 2014

Horváths ›Geschichten aus dem Wiener Wald‹. Hg. T. Krischke. st 2019

Horváths ›Jugend ohne Gott‹. Hg. T. Krischke. st 2027

Kafka: Der Schaffensprozeß. Hg. H. Binder. st 2026

Der junge Kafka. Hg. G. Kurz. st 2035

Alexander Kluge. Hg. T. Böhm-Christl. st 2033

Franz Xaver Kroetz. Hg. O. Riewoldt. st 2034

Literarische Utopie-Entwürfe. Hg. H. Gnüg. st 2012

Karl May. Hg. H. Schmiedt. st 2025

Friederike Mayröcker. Hg. S. J. Schmidt. st 2043

E. Y. Meyer. Hg. B. von Matt. st 2022

Suhrkamp Taschenbücher Materialien

Plenzdorfs ›Die neuen Leiden des jungen W.‹ Hg. P. J. Brenner.
st 2013

Rilkes ›Duineser Elegien‹. Drei Bände. Hg. U. Fülleborn.
st 2009/2010/2011

Schillers ›Briefe über die ästhetische Erziehung. Hg. J. Bolten.
st 2037

Spectaculum. Deutsches Theater 1945-1975. Hg. M. Ortmann.
st 2050

Martin Walser. Hg. K. Siblewski. st 2003

Weimars Ende. Im Urteil der zeitgenössischen Literatur und Publizistik. Hg. T. Koebner. st 2018

Ernst Weiß. Hg. P. Engel. st 2020

Peter Weiss. Hg. R. Gerlach. st 2036

Peter Weiss: ›Ästhetik des Widerstands‹. Hg. A. Stephan. st 2032

Wechselnde Erzählebene

Perspektivewechsel

Verzeichnis
der suhrkamp taschenbücher
Eine Auswahl